La increïble història de...

David Walliams

La increïble història de...

L'ÀVIA GÀNGSTER

Il·lustracions de
Tony Ross

Traducció de
Núria Parés

montena

Paper certificat pel Forest Stewardship Council®

Títol original: *Gangsta Granny*

Sisena edició: abril del 2015
Sisena reimpressió: juliol del 2021

Publicat originalment al Regne Unit per HarperCollins Children's Books,
una divisió de HarperCollins Publishers Ltd.

Disseny de la coberta: adaptació del diseny de la coberta de Harpercollins
Publishers / Penguin Random House Grupo Editorial
Il·lustració de la coberta: Tony Ross

Printed in Spain – Imprès a Espanya

ISBN: 978-84-9043-104-7
Dipòsit legal: B-13.701-2013

Compost a Compaginem Llibres, S. L.
Imprès a Limpergraf
Barberà del Vallès (Barcelona)

GT 3 1 0 4 E

Per a en Philip Onyango...

...el nen més valent que he conegut mai

1

Caldo de col

—Però és que l'àvia és taaan avorrida —va dir en Ben. Era un fred vespre de divendres del mes de novembre, i com sempre estava escarxofat al seient del darrere del cotxe dels seus pares. Una vegada més, es disposava a passar la nit a casa de la seva àvia—. Tota la gent gran ho és.

—No parlis així de l'àvia —va dir el pare amb poc convenciment, amb la panxa botida enclastada al volant del petit cotxe familiar de color marró.

—No m'agrada gens estar amb ella —va protestar en Ben—. La tele no li funciona, només vol jugar a l'Scrabble i fa pudor de col!

—Home, la veritat és que sí que fa pudor de col —va dir la mare, mentre es resseguia els llavis amb un llapis perfilador.

—No m'ajudes gaire, estimada —va mussitar el pare—. Com a molt, com a molt, a casa la meva mare, hi fa una lleugera olor de verdures bullides.

—No puc venir amb vosaltres? —va suplicar en Ben—. M'encanten aquests balls del que sigui —va mentir.

—Es diuen balls de saló —va corregir-lo el pare—. I no t'agraden gens ni mica. Vas dir, literalment: «Prefereixo menjar-me els mocs que no mirar aquesta porqueria».

Al pare i a la mare d'en Ben, per contra, els encantaven els balls de saló. A vegades, en Ben pensava que s'estimaven més els balls de saló que no pas a ell. Els dissabtes al vespre feien un programa per la tele que la mare i el pare mai no es perdien, titulat *Senzillament estrelles del ball*, en el qual alguns famosos ballaven de parella amb professionals dels balls de saló.

De fet, si mai es calés foc a casa i la mare només pogués salvar o bé una sabata de claqué de color daurat que una vegada va portar en Flavio Flavioli (el llustrós i bronzejat ballarí trencacors italià, que apareixia totes les temporades del gran èxit de televisió), o bé el seu fill únic, en Ben estava convençut que probablement es decantaria per la sabata. Aquesta nit, els seus pares anaven a un estadi per veure *Senzillament estrelles del ball en directe!*

—No entenc per què no deixes córrer aquest somni impossible de fer-te llauner, Ben, i comences a pensar professionalment en el ball—va dir la mare. En aquell moment el llapis perfilador li va gargotejar tota la galta per culpa d'un bot que va fer el cotxe en passar per sobre d'un ressalt molt pronunciat. La mare tenia el costum de maquillar-se al cotxe, per tant, sovint arribava als llocs que sem-

blava un pallasso—. Potser, i només potser, podries acabar a *Senzillament*! —va afegir, emocionada.

—Perquè anar fent cabrioles d'aquesta manera és estúpid —va dir en Ben.

La mare va fer un petit gruny i va agafar un mocador de paper.

—La teva mare es disgustarà. Sisplau, Ben, calla, i sigues bon noi —va dir el pare, amb fermesa, i tot seguit va apujar el volum de la música. Evidentment, sonava un CD de *Senzillament. Els 50 grans èxits del programa estrella de la televisió*, deia la coberta. En Ben odiava aquell CD, entre altres coses perquè l'havia escoltat un milió de vegades. De fet, l'havia sentit tantes vegades que era com una tortura.

La mare d'en Ben treballava al saló de bellesa del barri, Ungles Gail. Com que no tenien gaires clientes, la mare i l'altra dona que hi treballava (la que es deia Gail, és clar) s'entretenien fent-se la manicura mútuament. Abrillantar, netejar, tallar, hidratar, recobrir, segellar, polir, llimar, lacar, allargar i pintar. Es passaven el sant dia fent-se coses a les ungles l'una a l'altra (excepte que en Flavio Flavioli no sortís en aquells moments en algun programa). Això volia dir que la mare sempre arribava a casa amb unes extensions extremament llargues i multicolors a les puntes dels dits.

Per la seva banda, el pare d'en Ben treballava com a guarda de seguretat al supermercat del barri. Fins ara, el punt culminant de la seva carrera de vint anys havia estat la detenció d'un vellet que s'havia amagat dues terrines de margarina als pantalons. Malgrat que ara el pare estava massa gras per poder córrer darrere de qualsevol lladregot, sens dubte podia obstruir-los la fugida. El pare va conèixer la mare quan la va acusar equivocadament de pispar una bossa de patates fregides, i al cap d'un any ja estaven casats.

El cotxe va girar per Grey Close, on hi havia la casa de l'àvia. Era tot un carrer de casetes tristes habitades principalment per gent gran.

El vehicle es va aturar, i en Ben va girar el cap a poc a poc cap a la casa. L'àvia vigilava expectant per la finestra de la sala d'estar. Esperant. Esperant. Sempre esperava la seva arribada al costat de la finestra. «Quanta estona feia, que hi era?», va pensar en Ben. «Des de la setmana passada?»

En Ben era el seu únic nét i, pel que ell sabia, ningú altre no anava mai a visitar-la.

L'àvia va saludar amb la mà i va fer un petit somriure a en Ben, i ell l'hi va tornar a contracor tant com la cara de mal humor li va permetre.

—Bé, demà al matí un de nosaltres et vindrà a buscar, cap allà a les onze —va dir el pare, sense aturar el motor del cotxe.

—No podríeu venir a les deu?

—Ben! —va rondinar el pare.

Va desbloquejar el fiador infantil de la porta i en Ben la va obrir de mala gana i va sortir. Evidentment, en Ben no el necessitava, el fiador: tenia onze anys i era molt poc probable que obrís la porta amb el cotxe en marxa. Sospitava que el seu pare només l'utilitzava per impedir que sortís precipitadament del cotxe quan anaven a casa de l'àvia. La porta va fer un clunc darrere seu i el motor va accelerar de nou.

L'àvia va obrir la porta abans que tingués temps de trucar al timbre. Una intensa ferum de col va inundar els narius d'en Ben. Va ser com una gran bufetada a l'olfacte.

L'àvia era talment com les que surten als llibres de text:

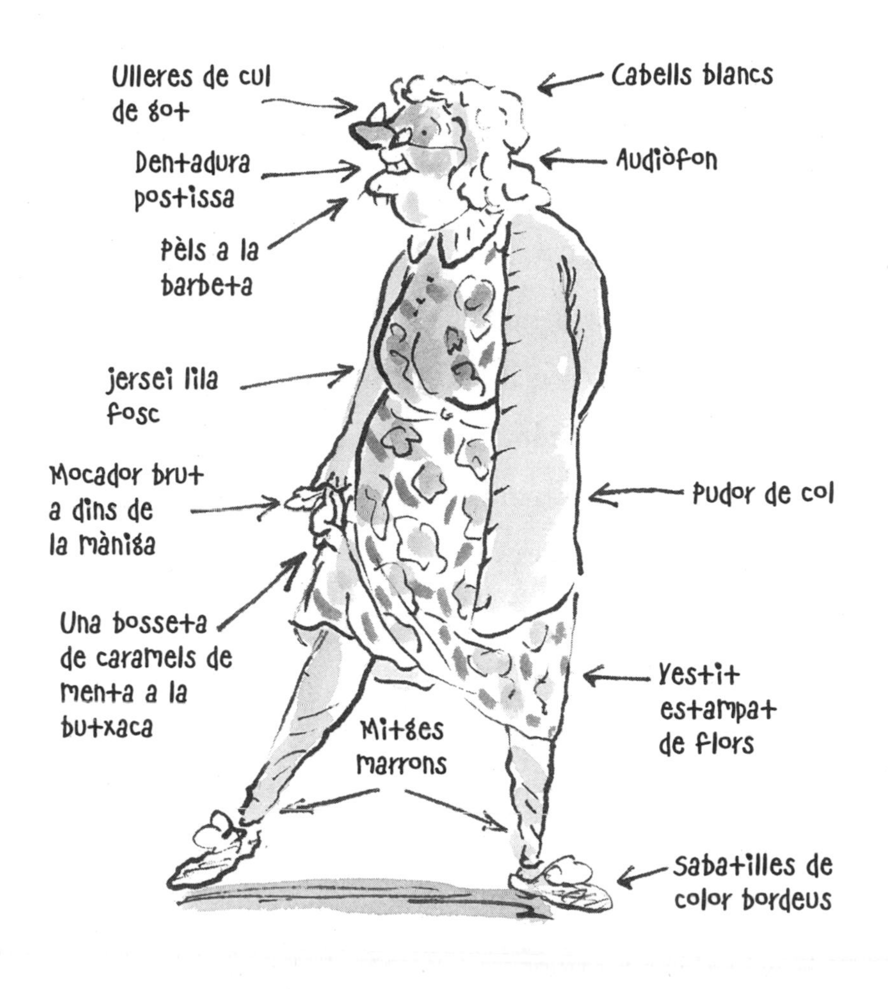

—Que no entren el pare i la mare? —va preguntar l'àvia, una mica tristoia. Aquesta era una de les coses que en Ben no suportava d'ella: sempre li parlava com si fos un nen petit.

Broom-broom-brrooooooooommm.

L'àvia i en Ben van mirar com s'allunyava el petit cotxe marró, saltant per sobre dels ressalts de la calçada. Estava clar que a la mare i el pare els agradava tan poc com a en Ben, anar a veure l'àvia. Casa seva era senzillament un lloc pràctic per deixar-lo els divendres al vespre.

—No... mmm... Ho sento, àvia... —va balbucejar en Ben.

—Ah, bé, doncs entrem —va mussitar l'àvia—. Va, que ja he preparat el tauler de l'Scrabble, i per berenar, tinc el teu plat preferit... caldo de col!

A en Ben li va caure l'ànima als peus.

«Nooooooooooooooooooo!», va pensar.

2

Un ànec clacant

Al cap de poc, l'àvia i el nét ja estaven asseguts l'un al davant de l'altra, enmig d'un silenci mortal, a la taula de la sala d'estar. Igual que tots els divendres al vespre que en Ben podia recordar.

Quan els seus pares no miraven *Senzillament* per la tele, menjaven curri o anaven al cine. El divendres a la nit era la seva «nit de parella», i pel que en Ben podia recordar, sempre l'havien deixat a casa l'àvia quan sortien. Si no anaven a veure *Senzillament estrelles de ball en directe!*, anaven al Taj Mahal (el restaurant de curri del carrer principal, no l'antic monument de marbre blanc de l'Índia) per menjar-se l'equivalent al seu pes corporal en *papadums*.

L'únic que se sentia a la casa era el tic-tac del rellotge de caixa curta que hi havia a la lleixa de la xemeneia, la dringadissa de les culleres de metall picant contra els bols de porcellana i algun ocasional xiulet agut que s'escapava de l'audiòfon de l'àvia. Aquell aparell semblava que tenia més la finalitat de causar sordesa als altres que no de disminuir la de l'àvia.

Era una de les coses que en Ben odiava més de l'àvia. Les altres eren:

1) L'àvia escopia sempre en el mocador brut que duia a dins de la màniga del jersei i després el feia servir per eixugar la cara del seu nét.

2) Tenia la tele espatllada des del 1992. I ara tenia una capa de pols tan espessa que semblava que fos folrada de pell.

3) Casa seva estava pleníssima de llibres i sempre intentava obligar en Ben a llegir-los malgrat que ell odiava llegir.

4) L'àvia insistia que calia dur un abric d'hivern tot l'any, encara que fes un dia calorós, perquè si no, no en «treia prou rendiment».

5) Feia pudor de col. (Qualsevol persona que tingués al·lèrgia a la col s'hauria de mantenir almenys a una distància de quinze quilòmetres d'ella.)

6) La idea de l'àvia d'un dia emocionant a l'aire lliure era donar crostons florits de pa als ànecs d'un estany.

7) Feia pets constantment i a sobre no ho reconeixia.

8) Els pets no només feien pudor de col, sinó de col podrida.

9) L'àvia et feia anar a dormir tan d'hora que gairebé semblava que no valia la pena ni llevar-se.

10) Per Nadal, feia jerseis de mitja amb dibuixos de cadells o gatets per al seu únic nét, i ell es veia obligat a dur-los durant totes les festes per ordre dels seus pares.

—És bona la sopa? —va preguntar la velleta.

En Ben s'havia passat els últims deu minuts remenant el líquid verd de la tassa escrostonada amb l'esperança que desaparegués.

Però no desapareixeria.

I ara s'havia refredat.

Trossets freds de col surant en un caldo de col fred.

—Eeeh, és boníssima, gràcies —va respondre en Ben.

—Que bé.

Tic toc tic toc.

—Que bé —va repetir la velleta.

Clinc. Clinc.

—Que bé.

Feia l'efecte que a l'àvia li costava tant parlar amb en Ben com a ell amb ella.

Clinc. Clanc. Fiu.

—Com va l'escola? —va preguntar.

—Avorrida —va mussitar en Ben.

Els adults sempre pregunten als nens com els va l'escola. L'únic tema del qual els nens detesten parlar. No en tens gens de ganes, de parlar de l'escola, quan vas a l'escola.

—Ah —va dir l'àvia.

Tic toc clinc clanc fiu tic toc.

—Bé, vaig a donar un cop d'ull al forn —va dir l'àvia, després d'una pausa llarga que s'havia convertit en una pausa encara més llarga—. De passada, també t'he preparat una panada de col. Com que sé que t'agrada...

Es va aixecar lentament de la cadira i va anar cap a la cuina. A cada pas que feia, una petita bombolla d'aire se li escapava del cul caigut. Feia el mateix so que un ànec clacant. O bé no se n'adonava, o bé era molt bona fent veure que no s'adonava de res.

En Ben la va observar mentre marxava, i tot seguit es va moure sigil·losament per la sala d'estar. Es feia difícil, amb les piles de llibres que hi havia pertot arreu. Els ESTIMATS llibres de l'àvia d'en Ben, que sempre semblava que tenia el nas ficat en algun. Estaven col·locats en prestatges, alineats a l'ampit de les finestres i apilats als racons.

Les novel·les policíaques eren les seves preferides. Llibres sobre lladres de bancs, la màfia i coses així. En Ben no tenia gaire clar quina era la diferència entre un malfactor i un gàngster, però un malfactor semblava molt pitjor.

Tot i que en Ben detestava llegir, li encantava mirar totes les tapes dels llibres de l'àvia. Hi apareixien cotxes ràpids, pistoles i noies glamuroses dibuixades de manera seductora, i a en Ben li costava de creure que a aquella àvia tan avorrida li agradés llegir unes històries aparentment tan emocionants.

«Per què està tan obsessionada en els malfactors?», va pensar en Ben. «Els malfactors no viuen en casetes maques. No juguen a l'Scrabble. I probablement no fan pudor de col.»

En Ben llegia molt a poc a poc, i els mestres de l'escola el feien sentir estúpid perquè no podia seguir el ritme. La directora fins i tot l'havia endarrerit un curs amb l'esperança que es posés al dia amb la lectura. Com a resultat, tots els seus amics anaven a una classe diferent, i se sentia gairebé tan sol a l'escola com a casa, perquè els seus pares només es preocupaven dels balls de saló.

Finalment, després d'un instant espantós en què gairebé va fer bolcar tota una pila de llibres sobre crims reals, en Ben va arribar al test que hi havia al racó de la sala.

Es va afanyar a tirar-hi la sopa que li quedava al plat. La planta tenia un aspecte pansit, i si encara no estava morta, el caldo de col de l'àvia l'acabaria de rematar.

De sobte, en Ben va sentir el cul de l'àvia clacant, que tornava a la sala d'estar, de manera que es va afanyar a seure a la taula. Va seure i va intentar fer cara d'innocent, amb el bol buit al davant i la cullera a la mà.

—Ja m'he acabat la sopa, gràcies, àvia. Era boníssima!

—Molt bé —va dir la velleta, mentre s'acostava dificultosament a la taula amb una olla sobre una safata—. En tinc molta més, si en vols, noiet!

I somrient, n'hi va servir un altre bol ben ple.

En Ben es va empassar saliva, horroritzat.

3

El Setmanari del Llauner

—No trobo *El Setmanari del Llauner*, Raj —va dir en Ben.

Era el divendres de la setmana següent, i el noi havia repassat totes les prestatgeries de revistes del quiosc del barri. No hi havia manera que trobés la seva publicació preferida. La revista anava adreçada a lampistes professionals, i en Ben quedava abstret per les pàgines i pàgines de canonades, aixetes, cisternes, interruptors, calderes, dipòsits i drenatges. *El Setmanari del Llauner* era l'única cosa que li agradava llegir, sobretot perquè estava ple de fotos i diagrames.

Des que s'havia fet prou gran per fer anar les mans, a en Ben li encantava la lampisteria. Mentre els altres nens jugaven amb aneguets a la banyera, en Ben demanava trossos de canonada als seus pares, i així muntava uns complicats sistemes de canalització d'aigua. Si s'espatllava una aixeta de casa, ell l'arreglava. Si un lavabo s'embussava, en Ben, en comptes de disgustar-se, es posava eufòric!

Però als pares d'en Ben no els agradava que volgués ser lampista. Volien que fos ric i famós, i al seu entendre, mai no havia existit cap lampista ric i famós. En Ben era tan bo arreglant coses com dolent amb la lectura, i es quedava fascinat quan un lampista anava a casa seva a arreglar una fuita. L'observava amb admiració, tal com un metge en pràctiques observaria un bon cirurgià en un quiròfan.

Però sempre li feia la sensació que decebia els seus pares. Desitjaven desesperadament que el seu fill acomplís l'ambició que ells mai no havien aconseguit: convertir-se en un professional dels balls de saló. Els pares d'en Ben havien descobert la seva passió pels balls de saló massa tard per poder-se convertir en uns campions. I, sincerament, semblava que gaudissin molt més escarxofats mirant els concursos de ball per la tele que no pas participant-hi.

Per tant, en Ben intentava mantenir la seva passió en privat. Per evitar ferir els sentiments dels pares, entaforava els exemplars d'*El Setmanari del Llauner* a sota del llit. I havia arribat a un acord amb en Raj, de manera que cada setmana li guardava un exemplar de la revista sense dir res a ningú. Tot i així, ara no la trobava enlloc.

En Ben havia buscat la revista darrere el *Kerrang* —una revista de rock— i el *Heat* —una de xafarderies—, i fins i tot havia remenat per darrere de *Dona* (no una dona de debò, és clar, sinó la revista

Dona), però no l'havia trobat. La botiga d'en Raj era un autèntic desordre, però la gent hi anava a comprar des de quilòmetres de distància perquè en Raj sempre els feia riure una mica.

En Raj estava enfilat a una escala posant les decoracions nadalenques. Bé, dic «decoracions nadalenques», tot i que en realitat estava penjant una pancarta que deia «Bon aniversari», de la qual havia esborrat «aniversari» amb típex i hi havia gargotejat «Nadal».

En Raj va baixar amb cura de l'escala per ajudar en Ben a buscar la revista.

—A veure, el teu *Setmanari del Llauner*... mmm... Deixa'm pensar... Has mirat al costat dels caramels de *toffee*? —va preguntar en Raj.

—Sí —va respondre en Ben.

—I no és a sota dels llibres per pintar?

—No.

—I has comprovat al darrere dels xiclets?

—Sí.

—Caram, quin misteri. Sé que te'n vaig demanar una, noiet. Mmm... és molt misteriós tot plegat... —En Raj parlava molt a poc a poc, d'aquella manera que parla la gent quan pensa—. Em sap molt de greu, Ben, sé que t'agrada molt, però no tinc ni idea d'on pot ser. Però mira, tinc una oferta especial de Cornettos.

—És novembre, Raj, i fa un fred que pela! —va dir en Ben—. Qui vols que es mengi un Cornetto, ara?

—Tothom que s'assabenti de la meva oferta! Espera't a sentir això: si compres vint-i-tres Cornettos, te n'emportes un de regal!

—I per què carai vull vint-i-quatre Cornettos, jo? —va exclamar en Ben, fent una riallada.

—Bé, no ho sé, potser te'n podries menjar dotze i guardar els altres dotze a la butxaca per a més tard.

—Són molts Cornettos, Raj. Per què tens tant d'interès a treure-te'ls de sobre?

—Perquè caduquen demà —va dir en Raj. Va anar feixugament cap al congelador, en va obrir la tapa de vidre i en va treure una capsa de Cornettos. Una boira gelada va embolcallar de cop la botiga—.

Fixa't! «Consumiu preferentment abans del 15 de novembre.»

En Ben va examinar la capsa.

—Diu «Consumiu preferentment abans del 15 de novembre de 1996».

—Exacte —va dir en Raj—. Doncs raó de més per fer una oferta especial. A veure, Ben, aquesta és l'última oferta que et faig. Si compres una capsa de Cornettos, te'n donaré deu de gratis!

—Gràcies, Raj, però de debò que no —va dir en Ben. Va donar una ullada al congelador per veure què més hi havia. No l'havien descongelat mai, i a en Ben no l'hauria sorprès trobar-hi perfectament conservat un mamut de l'edat de gel.

—Ei, un moment —va dir, mentre apartava uns gelats incrustats entre el gel—. És aquí! *El Setmanari del Llauner*!

—Ah, sí! Ara me'n recordo —va dir en Raj—. L'hi he posat perquè se't mantingués fresca.

—Fresca? —va dir en Ben.

—Ei, jovenet, la revista surt els dimarts, i avui és divendres. De manera que la vaig posar al congelador perquè se't mantingués fresca, Ben. No volia que es fes malbé.

En Ben no acabava de veure clar com una revista es podia arribar a fer malbé, però de totes maneres va donar les gràcies al quiosquer.

—Ets molt amable, Raj. També vull un paquet de Rolo, sisplau.

—Mira, et puc oferir setanta-tres paquets de Rolo pel preu de setanta-dos! —va exclamar el quiosquer amb un somriure persuasiu.

—No, gràcies, Raj.

—Mil paquets de Rolo pel preu de nou-cents noranta-vuit?

—No, gràcies —va dir en Ben.

—Que estàs boig, Ben? Però si és una oferta meravellosa! D'acord, d'acord, ja veig que saps fer negocis, Ben. Va, un milió set paquets de Rolo pel preu d'un milió quatre paquets. És a dir, tres paquets absolutament gratis!

—Només en vull un i la revista, gràcies.

—És clar, jovenet!

—Estic impacient per llegir-me *El Setmanari del Llauner*. He de tornar a passar la nit amb la meva àvia avorrida.

Ja feia una setmana de l'última visita d'en Ben, i el temut divendres al vespre havia arribat de nou. Els seus pares havien d'anar a veure una «pel·lícula per a noies», segons la seva mare. És a dir, amor, petons i totes aquestes coses. Ecs, quin fàstic!

—Vaja, vaja, vaja... —va dir en Raj, brandant el cap mentre comptava el canvi d'en Ben.

En Ben es va sentir avergonyit de cop. No havia vist mai el quiosquer fent allò. Igual com els altres nens del barri, en Ben veia en Raj com «un dels nostres», no com «un dels seus».

—Només perquè la teva àvia sigui gran, jovenet —va dir en Raj—, no vol dir que sigui avorrida. Jo també m'hi estic fent, de vell. I a més, sempre que he vist la teva àvia, he trobat que és una senyora d'allò més interessant.

—Però...

—No siguis tan dur amb ella, Ben —va dir en Raj—. Algun dia, tots ens hi farem, de vells. Fins i tot tu. I estic segur que la teva àvia deu tenir algun secret amagat. La gent gran sempre en té, de secrets...

4

Misteri i sorpresa

En Ben no estava segur que en Raj tingués raó sobre l'àvia. Aquella nit va ser com sempre. L'àvia li va servir caldo de col, seguida de panada de col i per postres, mousse de col. Fins i tot va trobar uns bombons amb aroma de col* per a després de sopar. Havent sopat, l'àvia i en Ben van seure al sofà que feia olor de ranci, com feien sempre.

—Hora de jugar a l'Scrabble! —va exclamar l'àvia.

«Genial», va pensar en Ben. «Aquesta nit serà

* Els bombons amb aroma de col no són tan bons com semblen pel nom, i de fet, el nom tampoc no sona gaire bé.

un milió de vegades més avorrida que la setmana passada.»

En Ben detestava l'Scrabble. Si pogués, construiria un coet i faria explotar tots els taulers de l'Scrabble a l'espai. L'àvia va treure el tauler vell i polsegós de l'Scrabble de la vitrina i va col·locar-lo sobre el puf.

En Ben va sospirar.

Després del que semblava unes quantes dècades més tard, però que segurament només devien ser hores, en Ben va mirar les lletres que tenia abans d'examinar el tauler. Ja havia format:

AVORRIT

VELLA

CLACAR (paraula de doble puntuació)

INÚTIL

PUDENT (aquesta l'havia de revisar al diccionari)

ARRUGUES

EMPATXATDECOL (triple puntuació)

FUGIDA

AJUDA

ODIOAQUESTESTÚPIDJOC (l'àvia havia descartat aquesta paraula perquè no n'era una de sola).

Tenia una «E», una «I» i una «D». L'àvia acabava de col·locar «mentolat» (doble puntuació), de manera que en Ben va aprofitar la «T» per formar «TEDI».

—Bé, ja són gairebé les vuit, noiet —va anunciar l'àvia, tot mirant el petit rellotge d'or—. Em sembla que ja ens podem desitjar bona nit i anar al llitet...

En Ben es va mossegar la llengua. Bona nit i anar al llitet! Com si tingués dos anys!

—Però si a casa no vaig a dormir fins a les nou! —va protestar—. I fins a les deu, si l'endemà no hi ha escola.

—No, Ben, vés a dormir, sisplau. —L'àvia podia ser molt ferma quan s'ho proposava—. I no t'oblidis de rentar-te les dents. Si et ve de gust, de seguida pujaré a explicar-te un conte d'abans de dormir. Abans t'encantava, que te n'expliqués.

Al cap d'una estona, en Ben estava dret al davant de la pica del lavabo. Era una cambra freda i humida sense cap finestra. Algunes rajoles de la paret havien caigut. Només hi havia una trista tovallola esfilagarsada i una pastilla de sabó gastada que semblava mig sabó, mig verdet.

A en Ben no li agradava gens rentar-se les dents. Per tant, ho feia veure. Fer veure que us renteu les dents és molt senzill. No digueu als vostres pares que us ho he explicat, però si ho voleu provar, l'única cosa que heu de fer és seguir aquesta guia pràctica pas a pas:

1) Obriu l'aixeta de l'aigua freda.

2) Mulleu el raspall de dents.

3) Poseu una mica de pasta de dents al dit i fiqueu-vos el dit a la boca.

4) Escampeu la pasta de dents per la boca amb la llengua.

5) Escupiu.

6) Tanqueu l'aixeta.

Ho veieu? És ben fàcil. Gairebé tan fàcil com rentar-se les dents.

En Ben es va mirar al mirall del lavabo. Tenia onze anys, però era més baixet del que voldria, o sigui que es va posar de puntetes una estona. Tenia moltes ganes de ser gran.

Només uns quants anys més, pensava, i seria més alt, més pelut i més ple de grans, i els divendres a la nit serien diferents.

Ja no s'hauria de quedar més a casa de la seva àvia avorrida i vella. Al contrari. En Ben podria fer totes les coses emocionants que feien els nois de la ciutat els divendres al vespre:

Sortir amb una colla d'amics i estar-se al davant d'una botiga de begudes alcohòliques esperant que algú els en fes fora.

O, com a alternativa, seure en una parada d'autobús amb unes quantes noies amb xandall i menjant xiclet i no pujar mai a cap autobús.

Sí, l'esperava tot un món de misteri i sorpresa.

Tot i així, ara per ara, malgrat que a fora encara era clar i sentia uns nens que jugaven a futbol al parc del costat, en Ben havia d'anar a dormir. En un llit petit i dur, en una habitació petita i humida, a la casa petita i atrotinada de l'àvia. Que a més feia pudor de col.

No només una mica.

Molt.

En Ben va sospirar i es va ficar al llit.

Just llavors, l'àvia va obrir la porta de l'habitació a poc a poc. En Ben va tancar ràpidament els ulls i va fer veure que dormia. L'àvia es va acostar feixugament al llit i en Ben va notar que es quedava dreta al seu costat.

—Et volia explicar un conte —va mussitar. Quan era petit, l'àvia sovint li explicava contes sobre pirates, contrabandistes i delinqüents, però ara ja era massa gran per a aquestes ximpleries—.

Quina llàstima que ja t'hagis adormit —va dir—. Bé, només volia dir-te que t'estimo. Bona nit, petit Benny.

També odiava que li diguessin «Benny».

I «petit».

I el malson va continuar, perquè en Ben va notar que l'àvia s'ajupia per fer-li un petó. Els pèls espinosos de la barbeta li van punxar la galta. Després va sentir el soroll rítmic del cul quan clacava a cada pas. Va fer pets tot el camí cap a la porta i la va tancar darrere seu, deixant la pudor a dins.

«Això no hi ha qui ho suporti», va pensar en Ben. «M'he d'escapar!»

5

Una mica aixafada

—*Aaaahhhrrr... pffftt... Aaaahhhrrr... pppffftt... Aaaahhhrrr... pffftt... Aaaahhhrrr... pppffftt...*

No, lectors. No heu comprat per error l'edició en swahili d'aquest llibre.

Eren els ronquets de l'àvia.

Estava adormida.

—*Aaaahhhrrr... pffftt... Aaaahhhrrr... pppffftt... Aaaahhhrrr... pffftt... Aaaahhhrrr... pppffftt...*

En Ben va sortir sigil·losament de l'habitació i va anar cap al telèfon de l'entrada. Era un d'aquells telèfons antics que roncaven com un gat quan marcaves el número.

—Mare...? —va xiuxiuejar.

—NO ET SENTO! —va cridar. De fons se sentia música de jazz a tot volum. El pare i la mare ja tornaven a ser a l'estadi mirant *Senzillament estrelles de ball en directe!* Probablement la mare bavejava veient el moviment de malucs d'en Flavio Flavioli, que trencava el cor de milers de dones d'una certa edat—. Què passa? Va tot bé? No s'ha mort, oi, la vella bruixa?

—No, està bé, però no m'agrada estar aquí. No em podeu venir a buscar? Sisplau —va mussitar en Ben.

—En Flavio encara no ha ni fet el segon ball.

—Sisplau —va pregar—. Vull tornar a casa. L'àvia és molt avorrida. És una tortura horrorosa estar amb ella.

—Parla amb el pare. —En Ben va sentir un soroll esmorteït mentre la mare li passava el telèfon.

—SÍ? —va cridar el pare.

—No cridis tant, sisplau!

—QUÈ? —va tornar a cridar.

—Que no cridis! Calla, que despertaràs l'àvia! No em podeu venir a buscar, pare? Sisplau? Odio estar aquí.

—No, no podem. Veure aquest espectacle és una experiència que passa un cop a la vida.

—Però si ja el vas veure divendres passat! —va protestar en Ben.

—Doncs passa dos cops a la vida.

—I has dit que tornaríeu a anar-hi divendres que ve!

—Mira, si continues així, noiet, et quedaràs amb l'àvia fins per Nadal. Apa, adéu!

I tot seguit el pare va penjar. En Ben va tornar l'auricular al seu lloc, i el telèfon va fer un cling fluixet.

De sobte, es va adonar que l'àvia ja no roncava.

L'havia sentit? Va mirar darrere seu i li va semblar que veia la seva ombra, però llavors va desaparèixer.

Era cert que en Ben la trobava terriblement avorrida, però no volia que l'àvia ho sabés. Al capdavall, era una vídua vella i sola, i el seu marit havia mort molt abans que en Ben naixés. Sentint-se una mica culpable, en Ben va tornar cap a l'habitació de convidats i va esperar, esperar i esperar que arribés el matí.

A l'hora d'esmorzar, l'àvia semblava diferent.

Més silenciosa. Més vella, potser. Una mica aixafada.

Tenia els ulls envermellits, com si hagués plorat.

«Que em va sentir?», va pensar en Ben. «Espero que no.»

Estava dreta al costat del forn i en Ben estava assegut a la minúscula taula de la cuina. L'àvia feia veure que tenia molt d'interès en el calendari que tenia penjat a la paret del costat del forn. En Ben estava segur que fingia, perquè en aquell calendari no hi havia res d'interessant.

Era la típica setmana de la vida agitada de l'àvia:

Dilluns: Fer caldo de col. Jugar a l'Scrabble tota sola. Llegir un llibre.

Dimarts: Fer panada de col. Llegir un altre llibre. Fer pets.

Dimecres: Cuinar la «sorpresa de xocolata». La sorpresa és que no està fet de xocolata. De fet, és tot col.

Dijous: Llepar un caramel de menta tot el dia (podia fer que un caramel de menta li durés tota la vida).

Divendres: Llepar el mateix caramel de menta. El meu meravellós nét em ve a visitar.

Dissabte: El meu meravellós nét se'n va. Seure i descansar. Quin esgotament!

Diumenge: Menjar col rostida, amb col a la brasa i col bullida d'acompanyament. Fer pets tot el dia.

Finalment, l'àvia es va girar.

—Aviat arribaran els teus pares —va murmurar, finalment, trencant el silenci.

—Sí —va dir en Ben, i va mirar el rellotge—. D'aquí pocs minuts.

Els minuts semblaven hores. Fins i tot dies. O mesos!

Un minut pot ser llarguíssim. No us ho creieu? Doncs seieu tots sols a l'habitació i no feu res més que comptar seixanta segons.

Ja ho heu fet? No m'ho crec. No ho dic de broma. Vull que aneu a l'habitació i que ho feu.

No penso continuar la història fins que no ho hàgiu fet.

No sóc jo qui perd el temps.

Tinc tot el dia.

Perfecte, ho heu fet, ja? Molt bé. Doncs tornem a la història...

Quan tocaven les onze, un petit cotxe marró va aparcar al davant de casa l'àvia. Com si es tractés d'un conductor a punt de fugir d'un atracament a un banc, la mare va deixar el motor engegat. Es va inclinar i va obrir la porta de l'acompanyant perquè en Ben hi pogués entrar ràpidament i sortir d'allà disparats.

Mentre en Ben es dirigia cap al cotxe, l'àvia es va quedar dreta a la porta de l'entrada.

—Vols entrar a prendre un te, Linda? —va cridar.

—No, gràcies —va dir la mare d'en Ben—. Ràpid, Ben, per l'amor de Déu, entra! —Va accelerar el motor—. No vull haver de donar conversa a la vella.

—Calla! —va fer en Ben—. Et sentirà!

—Em pensava que no t'agradava, l'àvia —va dir la mare.

—Jo no ho he dit això, mare. Vaig dir que la trobava avorrida. Però no vull que ho sàpiga, d'acord?

La mare va fer una riallada mentre s'allunyaven de Grey Close.

—Jo no m’hi amoïnaria gaire, Ben, perquè l’àvia no s’assabenta de res. Segurament no entén la meitat del que li dius.

En Ben va arrufar el front. No n’estava gaire segur, d’allò. En absolut. Va recordar la cara de l’àvia quan esmorzaven. De sobte, va tenir la terrible sensació que l’àvia entenia moltes més coses del que ell s’havia imaginat mai...

6

L'ou humit i fred

Aquell divendres a la nit hauria estat espectacularment igual d'avorrit que l'últim, si en Ben no s'hagués recordat d'endur-se la revista. Una vegada més, el pare i la mare van deixar el seu únic fill a casa de l'àvia.

Tan bon punt hi va arribar, en Ben va anar de dret a la seva petita habitació freda i humida, va tancar la porta i va llegir l'últim número d'*El Setmanari del Llauner* de cap a cap. Hi havia una guia extraordinària, amb un munt de fotografies en color, on mostraven com s'havia d'instal·lar la nova generació de calderes combi. En Ben va doblegar la punta de la pàgina. Ara ja sabia què demanar per Nadal.

Un cop va haver acabat de llegir la revista, en Ben va sospirar i va anar cap a la sala d'estar. Era conscient que no es podia quedar tota la nit a l'habitació.

L'àvia va alçar la vista i va somriure quan el va veure.

—Hora de l'Scrabble! —va exclamar, tota contenta, amb el tauler a les mans.

L'endemà al matí hi havia un silenci espès.

—Vols un altre ou dur? —va dir l'àvia, quan s'asseien a la petita cuina atrotinada.

A en Ben no li agradaven els ous durs, i encara no s'havia acabat ni el primer. L'àvia era capaç d'espatllar el menjar amb una facilitat esparveradora. L'ou sempre quedava aquós, i les torrades quedaven com carbó. Quan l'àvia no mirava, en Ben llençava cullerades d'ou per la finestra i amagava les torrades al darrere del radiador. A hores d'ara, n'hi devia haver per parar un tren.

—No, gràcies, àvia, estic molt tip —va respondre en Ben—. Era boníssim, l'ou dur, gràcies —va afegir.

—Mmm... —va murmurar la velleta, poc convençuda—. Fa una mica de fresca. Vaig a posar-me un altre jersei —va dir, tot i que ja en duia dos de posats.

L'àvia va sortir de la cuina, clacant com sempre.

En Ben va llençar la resta de l'ou per la finestra i després va mirar si trobava alguna altra cosa per menjar. Sabia que l'àvia tenia un amagatall secret per a unes galetes de xocolata que guardava en un prestatge de dalt de tot de la cuina. L'àvia en donava una a en Ben pel seu aniversari i ell n'agafava una de tant a en tant, quan les exquisideses de col de l'àvia el deixaven afamat com un llop. De manera que va arrambar la cadira al davant dels armaris, s'hi va enfilar per agafar les galetes i va abastar la capsa. Era una capsa metàl·lica gran del Jubileu del vint-i-cinquè aniversari de l'any 1977, on hi havia un retrat ratllat i descolorit d'una jove reina Elisabet II a la tapa. Pesava molt. Molt més del que havia de pesar.

Que estrany.

En Ben la va sacsejar una mica. No semblava que hi hagués galetes a dins. Era més aviat com si hi hagués pedres o bales.

Encara més estrany.

En Ben va obrir la tapa de la capsa.

Va mirar.

I després va mirar una mica més.

No es podia creure el que hi havia a dins.

Diamants! Anells, braçalets, collarets, arracades, tots plens de diamants centellejants.

En Ben no era cap expert, però en veure allò va pensar que devia haver-hi joies per valor de milers de lliures, en aquella capsa de galetes, potser fins i tot milions.

De sobte, va sentir que l'àvia tornava clacant cap a la cuina. Apressat i nerviós, va tornar a tapar la capsa i va col·locar-la al prestatge. Va baixar de la cadira, va arrossegar-la i va seure a la taula.

Va mirar per la finestra i es va adonar que l'ou que havia tirat no havia anat a parar al jardí, sinó que s'havia enclastat al vidre. L'àvia necessitaria un bufador per treure aquella pasterada si s'assecava. Per tant, va córrer cap a la finestra i va llepar l'ou humit i fred del vidre, i llavors va tornar a seure de seguida. Era massa desagradable empassar-se'l, de manera que, dominat pel pànic, en Ben va decidir guardar-se'l a la boca.

L'àvia va entrar feixugament a la cuina amb un tercer jersei.

I encara clacava.

—Val més que et posis la jaqueta, jovenet. Els teus pares deuen estar a punt d'arribar —va dir, fent un somriure.

En Ben es va empassar l'ou humit i fred a contracor. Li va lliscar gola avall. Ecs, ecs i ecs.

—Sí —va dir, amb por de vomitar i tornar a enclastar l'ou al vidre.

Ben remenat.

7

Bosses d'adob

—Em puc tornar a quedar a casa l'àvia, aquest vespre? —va preguntar en Ben des del seient posterior del petit cotxe marró dels pares. Els diamants de la capsa de galetes el tenien molt intrigat... estava ansiós per fer una mica de detectiu. Potser fins i tot buscaria a cada racó de casa de l'àvia. Tot plegat era molt misteriós. En Raj li havia dit que l'àvia segur que tenia algun secret amagat. I pel que semblava, el quiosquer tenia raó! I fos quin fos el secret de l'àvia, havia de ser bastant sorprenent, per justificar tots aquells diamants. I si resultava que era multimilionària? O treballava en una mina de diamants? O els hi havia deixat una princesa? En Ben estava impacient per descobrir-ho.

—Què? —va dir el pare, sorprès.

—Però si vas dir que era molt avorrida —va dir la mare, igual de sorpresa, i fins i tot una mica irritada—. Vas dir que tota la gent gran és avorrida.

—Feia broma —va dir en Ben.

El pare va examinar el fill pel retrovisor. Li resultava molt difícil entendre aquell seu fill obsessionat per la lampisteria. En aquells moments, l'actitud d'en Ben era del tot absurda.

—Mmm... bé... si n'estàs segur...

—N'estic ben segur, pare.

—Ja li trucaré quan arribem a casa. Només per estar segur que no ha de sortir.

—Sortir! —va dir la mare, amb sorna—. Però si l'àvia fa més de vint anys que no surt! —va afegir, amb una rialleta.

En Ben no hi acabava de veure la gràcia.

—Ei, que aquella vegada la vaig dur al centre de jardineria —va protestar el pare.

—Només perquè et feia falta algú que t'ajudés a portar totes aquelles bosses d'adob —va dir la mare.

—Tot i així, s'ho va passar la mar de bé —va dir el pare, una mica picat.

Més tard, en Ben seia tot sol al seu llit. El cap li anava a cent per hora.

D'on carai havia tret aquells diamants, l'àvia?

Quant valien?

Per què vivia en aquella trista caseta, si era tan rica?

En Ben no podia parar de pensar, però no trobava respostes.

El pare va entrar a l'habitació.

—L'àvia té feina. Diu que li encantaria que hi tornessis, però que aquesta nit surt —va anunciar.

—Què? —va exclamar en Ben. Però si l'àvia amb prou feines sortia mai... En Ben havia vist el seu calendari de la cuina i no hi havia cap activitat apuntada... Aquell misteri era cada vegada més misteriós...

8

Una petita perruca en un pot

En Ben es va amagar als arbustos de fora de casa l'àvia. Com que el pare i la mare eren a baix a la sala d'estar mirant *Senzillament estrelles del ball* per la televisió, en Ben havia baixat per la canonada des de la finestra de l'habitació i havia fet amb bici els vuit quilòmetres que hi havia fins a casa l'àvia.

Això sol era un senyal de la curiositat que ara sentia per l'àvia. No li agradava anar amb bici. Els seus pares sempre l'animaven a fer més esport. Li deien que estar en forma era necessari si volies ser ballarí professional. Però com que això no tenia importància quan estaves ajagut sota una pica o quan descargolaves una canonada de coure, en Ben mai no havia fet esport de bon grat.

Fins ara.

Si l'àvia realment sortia de casa per primera vegada en vint anys, en Ben volia saber on anava. Allò podia ser la clau de com havia aconseguit acumular una tona de diamants a dins de la capsa de galetes.

Per tant, va bufar i esbufegar per tot el camí que resseguia el canal amb la bicicleta vella i atrotinada fins que va arribar a Grey Close. L'única cosa positiva era que, com que era novembre, en comptes de quedar amarat de suor va quedar una mica humit de la fresca.

Havia pedalat ràpid perquè sabia que no tenia gaire temps. *Senzillament estrelles del ball* semblava que durés hores, fins i tot dies, però en Ben havia trigat mitja hora a arribar a casa de l'àvia, i tan bon punt s'acabés el programa, la mare el cridaria perquè baixés a prendre el te. Als pares d'en Ben els agradaven tots els programes de ball de la televisió —*Ball amb patins sobre gel*, *Creus que series capaç de ballar una mica?*—, però estaven completament obsessionats amb *Senzillament estrelles del ball.* Havien gravat tots i cadascun dels programes, i tenien una col·lecció inigualable de records de *Senzillament* per tota la casa, entre els quals es comptaven:

- Un tanga de color verd llima que havia dut una vegada en Flavio Flavioli, emmarcat amb una fotografia d'ell mateix amb el tanga posat.
- Un punt de llibre de *Senzillament estrelles del ball* fet d'autèntica imitació de pell.
- Pólvores per als peus d'atleta signades per la companya professional d'en Flavio, la bellesa austríaca Eva Bunz.
- Uns escalfadors oficials de *Senzillament estrelles del ball* dels dos ballarins.

- Un CD de les cançons més utilitzades al programa.
- Una petita perruca en un pot que havia dut una vegada el presentador, Sir Dirk Doddery.
- Una figura de cartró de mida natural d'en Flavio Flavioli amb una mica de pintallavis de la mare al voltant de la boca.
- Un pot petit amb una mica de cera d'orella d'una concursant famosa, la diputada Rachel Prejudice.
- Unes mitges de color canyella que feien olor de l'Eva Bunz.

- Un gargot fet en un tovalló del cul d'un home, dibuixat pel desagradable Craig Malteser-Woodward, membre del jurat del programa.
- Un joc d'oueres oficials de *Senzillament estrelles del ball.*
- Un pot mig ple de Reflex usat per en Flavio Flavioli.
- Una figureta articulada d'en Craig Malteser-Woodward.
- Una punta de pizza hawaiana que havia deixat en Flavio al plat (amb una carta d'autenticitat signada per l'Eva Bunz).

Era dissabte, o sigui que després del programa la família menjaria mongetes amb formatge i botifarra. Ni el pare ni la mare sabien cuinar, però de tots els menjars preparats que la mare treia del congelador, punxava amb una forquilla i posava al microones durant tres minuts, aquest era el seu preferit. En Ben tenia gana i no s'ho volia perdre, per tant, havia d'afanyar-se a tornar de casa l'àvia. Si això hagués passat un dilluns al vespre, posem per cas, i hagués tocat lasanya de tikkà, o un dimecres, amb pizza dóner kebab, o un diumenge, amb púding Yorkshire* i chow mein, en Ben no s'hi hauria atabalat tant.

S'estava fent fosc. Com que era el final de novembre, es feia fosc molt aviat i de seguida feia fred al vespre. En Ben tremolava entre els arbustos tot espiant l'àvia. «On deu haver anat?», pensava en Ben. «Si gairebé no surt mai.»

Llavors va veure una ombra que es movia per dins de la casa i quan el rostre de l'àvia va aparèixer

* Al supermercat on treballava el pare els agradava fusionar la cuina de dos països diferents en un pràctic envàs per al microones. Combinant plats de diferents països, potser aconseguirien posar pau en un món profundament dividit. O potser no.

per la finestra, en Ben es va amagar de seguida. Els arbustos van cruixir. «Uix!», va pensar en Ben. I si l'havia vist, l'àvia?

Al cap de poc es va obrir la porta principal i en va sortir una figura tota vestida de negre. Jersei negre, malles negres, guants negres, mitjons negres, i segurament sostenidors i calces negres. Un passamuntanyes negre li amagava la cara, però per l'encorbament de l'esquena en Ben va saber que era ella. Tenia l'aspecte d'una d'aquelles imatges de les cobertes dels llibres que li agradava tant llegir. Es va enfilar a l'escúter i va donar gas al motor.

On carai devia anar?

I, més important encara, per què anava vestida com un ninja?

En Ben va repenjar la bicicleta als arbustos i es va preparar per seguir l'àvia.

Cosa que no havia somiat que faria ni en un milió d'anys...

Com una aranya passejant-se per un lavabo intentant no ser vista, l'àvia conduïa l'escúter ben a prop de la paret. En Ben la seguia tan sigil·losament com va poder. No costava gaire mantenir el ritme, perquè la velocitat màxima de l'escúter era de sis quilòmetres per hora. Mentre avançava brunzint pel carrer, l'àvia de sobte es va girar, com si hagués sentit alguna cosa, i en Ben es va amagar de seguida darrere d'un arbre.

Es va esperar contenint la respiració.

Res.

Al cap d'uns instants, va treure el cap per darrere el tronc i va veure que l'àvia ja havia arribat al capdavall del carrer. Va continuar la persecució.

Molt aviat van arribar al carrer principal de la ciutat. Estava gairebé desert. Com que era el capvespre, totes les botigues havien tancat i els pubs i restaurants encara no havien obert. L'àvia s'apartava de la llum dels fanals i anava virant pel davant de les cases mentre s'acostava a la seva destinació.

En Ben va fer un crit ofegat quan va veure on aparcava.

Davant de la joieria.

Els collarets, els anells i els rellotges brillaven a l'aparador. En Ben no es podia creure el que veia

quan l'àvia va treure un pot de caldo de col de la cistella de l'escúter. Va clavar una ullada teatral al voltant i llavors va alçar el braç disposada a trencar el vidre de l'aparador de la joieria.

—Nooooo! —va cridar en Ben.

L'àvia va deixar caure el pot. Va esclafar-se contra el terra i tota la sopa es va escampar pel paviment.

—Ben? —va xiuxiuejar l'àvia—. Què hi fas aquí?

9

El Gat Negre

En Ben es va quedar mirant l'àvia palplantada al davant de la joieria, tota vestida de negre.

—Ben? —va dir—. Què ho fa que em segueixes?

—Jo només... jo... —En Ben estava tan astorat que no li sortien les paraules.

—Bé —va dir l'àvia—. Sigui quin sigui el motiu, d'aquí un no res tindrem els polis a sobre. Val més que fugim d'aquí. Puja, ràpid.

—Però no puc...

—Ben! Tenim trenta segons abans que la càmera de circuit tancat s'engegui. —Va assenyalar una càmera que hi havia penjada a la paret d'un bloc d'apartaments del costat de les botigues.

En Ben va pujar al darrere de l'escúter.

—Saps fins i tot quan s'engeguen les càmeres de circuit tancat? —va preguntar.

—Ui —va dir l'àvia—. Quedaries parat de les coses que sé.

En Ben li mirava l'esquena mentre conduïa. L'acabava de veure preparada per robar en una joieria. Hi havia alguna cosa que el pogués sorprendre encara més? Era evident que hi havia moltes coses que no sabia, de l'àvia.

—Agafa't fort —va dir l'àvia—, que aniré a tot gas.

Va fer girar bruscament el mànec del gas de l'escúter, però en Ben no va notar cap efecte. Van marxar brunzint en la foscor, ara a cinc quilòmetres per hora, a causa del pes de més.

—El Gat Negre? —va repetir en Ben. Finalment havien arribat a casa l'àvia i estaven asseguts a la sala d'estar. L'àvia va preparar te i va treure galetes de xocolata.

—Sí, així és com em deien —va respondre l'àvia—. Era la lladre de joies més buscada del món.

A en Ben li bullia el cap de tantes preguntes que tenia per fer-li. Per què? On? Qui? Què? Quan? Era impossible saber què li volia preguntar primer.

—No ho sap ningú més excepte tu, Ben —va continuar l'àvia—. Fins i tot el teu avi va morir sense saber-ho. Saps guardar un secret? M'has de jurar que no ho diràs a ningú.

—Però...

L'àvia va posar una cara severa. Va aprimar els ulls i l'expressió se li va endurir com una serp a punt de mossegar.

—M'ho has de jurar —li va dir la velleta, amb una intensitat que en Ben no havia vist mai abans—. Els delinqüents ens prenem els juraments molt seriosament. Sí, molt seriosament.

En Ben es va empassar saliva, una mica espantat.

—Et juro que no ho diré a ningú.

—Ni tan sols a la mare o al pare! —va etzibar l'àvia, que una mica més i li escup la dentadura postissa.

—Ja t'ho he dit, et juro que no ho diré a ningú —va contestar en Ben.

Feia poc, a l'escola, en Ben havia treballat el diagrama de Venn. Si havia jurat no dir-ho a ningú, i posem que aquest «ningú» és el conjunt A, aleshores el pare i la mare òbviament estan inclosos en el conjunt A i per descomptat en formen un subconjunt. Per tant, no hi havia cap necessitat que l'àvia demanés a en Ben que ho jurés una segona vegada.

Doneu una ullada a aquest diagrama:

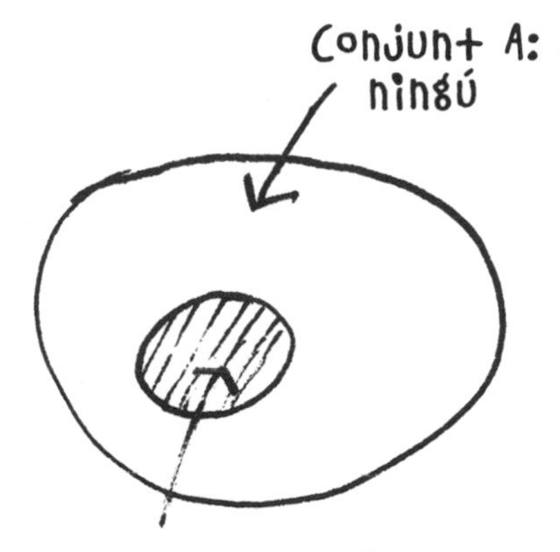

De totes maneres, en Ben va pensar que l'àvia ara mateix no devia tenir cap interès pel diagrama de Venn. Com que encara el mirava amb aquells ulls espantosos, en Ben va sospirar i va dir:

—D'acord, et juro que no ho diré al pare i a la mare.

—Bon minyó —va dir l'àvia, i tot seguit l'audiòfon li va començar a xiular.

—Però amb una condició —va aventurar en Ben.

—Quina? —va preguntar l'àvia, una mica sorpresa per la gosadia.

—Que m'ho has d'explicar tot...

10

Tot

—Tenia més o menys la teva edat quan vaig robar el primer anell de diamants —va dir l'àvia.

En Ben va quedar impressionat. En part per la idea que l'àvia hagués pogut tenir mai la seva edat, cosa que li semblava impossible, i en part perquè, òbviament, les nenes d'onze anys normalment no van pel món robant diamants. Bolis brillants, clips dels cabells, cavallets de joguina, potser sí, però diamants, segur que no.

—Ja sé que tu només em veus amb l'Scrabble, la mitja i la meva passió per la col, i creus que sóc una vella avorrida...

—No... —va dir en Ben, sense gaire convenciment.

—Però t'oblides, fill, que jo també vaig ser jove.

—Com era el primer anell que vas robar? —va dir en Ben, amb impaciència—. Tenia un diamant molt gros?

L'àvia va fer petar la llengua.

—No gaire gran! No, era el primer que robava. Encara el tinc guardat en algun lloc. Vés a la cuina, Ben, i agafa la capsa de galetes del Jubileu que hi ha al prestatge.

En Ben va arronsar les espatlles, com si no sabés res de la capsa de galetes metàl·lica del Jubileu i el seu increïble contingut.

—On és, àvia? —va preguntar en Ben quan sortia de la sala d'estar.

—Al prestatge de dalt de tot, fill! —va cridar l'àvia—. I afanya't. Els teus pares aviat es començaran a preguntar on ets. —En Ben va recordar que havia volgut tornar de seguida a casa per menjar les mongetes amb formatge i botifarra. Però de sobte allò li semblava immensament absurd. Fins i tot li havia passat la gana.

En Ben va tornar a la sala d'estar amb la capsa. Encara pesava més del que recordava. La va donar a l'àvia.

—Bon minyó —va dir, tot regirant per la capsa. Va agafar una petita peça brillant particularment bonica—. Sí, fixa't, és aquesta!

En Ben tots els anells de brillants els veia bastant iguals. Però l'àvia semblava que els identificava com si els conegués perfectament.

—Mira que bonic que és —va dir, mentre s'acostava l'anell per inspeccionar-lo més de prop—. Aquest és el primer que vaig robar quan encara era un tap de bassa.

En Ben no es podia imaginar l'àvia quan era jove. Només l'avia vist com una velleta. Fins i tot li semblava que ja havia nascut sent vella. Que anys enrere, a l'hospital, quan la seva mare havia anat a donar a llum, li va preguntar a la llevadora si era nen o nena i li havia respost: «És una velleta!».

—Vaig créixer en un poblet petit i la meva família era molt pobra —va continuar l'àvia—. Al capdamunt del turó hi havia una immensa mansió campestre on vivien un lord i una lady. Exactament lord i lady Davenport. Era just després de la guerra i no teníem gaire menjar. Jo tenia gana, o sigui que, una nit, quan tothom dormia, vaig sortir de la caseta on vivia amb el pare i la mare. Sota el mantell de la foscor, vaig travessar el bosc i vaig pujar el turó cap a la mansió dels Davenport.

—I no tenies por? —va preguntar en Ben.

—Sí, és clar que en tenia. Anar sola pel bosc a mitja nit és aterrador. A més, a la casa hi havia gossos guardians. Uns dòbermans negres i grans. Tan sigil·losament com vaig poder, em vaig enfilar per una canonada i vaig trobar una finestra oberta. Era molt menuda, jo, quan tenia onze anys, molt baixeta per la meva edat. De manera que vaig aconseguir esmunyir-me per una petita escletxa i vaig anar a parar darrere d'una cortina de vellut. Quan vaig apartar-la, em vaig adonar que era a l'habitació de lord i lady Davenport.

—Ostres! —va dir en Ben.

—Sí, noi —va continuar l'àvia—. Només volia agafar una mica de menjar, però al costat del llit hi havia aquesta petita preciositat.

—Va indicar l'anell de diamants.

—I el vas agafar i ja està?

—Ser una lladre de joies internacional no és tan simple, jovenet —va dir l'àvia—. El lord i la lady dormien com socs, però si els despertava, havia begut oli. El lord sempre dormia amb una escopeta al costat del llit.

—Una escopeta? —va preguntar en Ben.

—Sí. Era un home refinat, i com que era refinat, li agradava caçar faisans. Per això tenia diverses armes.

En Ben suava de nervis.

—Però no es va despertar i va provar de disparar-te, oi?

—Tingues paciència, fill. Tot al seu temps. Vaig arrossegar-me silenciosament pel costat del llit de lady Davenport i vaig agafar l'anell del diamant. No em podia creure que fos tan bonic. Mai no n'havia vist cap de tan a prop. La meva mare ni tan sols hauria somiat tenir-ne un. «No necessito joies», ens deia als nens. «Vosaltres sou els meus petits diamants.» Vaig dubtar uns instants amb el diamant a la mà. Era la cosa més impressionant que havia vist mai. Llavors, de sobte, es va sentir un soroll terrible.

En Ben va arrufar el front.

—I què era?

—Lord Davenport era un home golut i gras. Devia haver menjat molt per sopar, perquè va fer un rot esparverador!

En Ben es va posar a riure i l'àvia s'hi va afegir. Sabia que els rots se suposava que no feien riure, però no se'n va poder estar.

—Va ser tan fort! —va dir l'àvia, sense parar de riure—. BBBUUUUUURRRPP PPPPPPPPPPPPPP!!! —va fer, imitant-lo.

A en Ben li va agafar un atac de riure.

—Va ser tan fort —va continuar l'àvia—, que em vaig espantar i em va caure l'anell al terra de fusta. Va fer un bon soroll quan va picar contra les posts, i resulta que lord i lady Davenport es van despertar.

—Ostres!

—Sí, t'ho pots ben creure! O sigui que vaig agafar l'anell i vaig córrer cap a la finestra. No em vaig atrevir a mirar enrere, però vaig sentir que lord Davenport agafava l'escopeta. Vaig saltar sobre l'herba, però de sobte, es van encendre tots els llums de la casa, els gossos van començar a lladrar i jo corria com una esperitada per salvar la vida. Llavors vaig sentir un soroll ensordidor...

—Un altre rot? —va preguntar en Ben.

—No, aquesta vegada era un tret. Lord Davenport em disparava amb l'escopeta mentre jo corria turó avall i tornava cap al bosc.

—I què va passar?

L'àvia es va mirar el rellotge d'or.

—Rei, val més que tornis a casa. Els teus pares deuen estar patint molt.

—Ho dubto —va dir en Ben—. L'únic que els importa són els estúpids balls de saló.

—Això no és veritat —va dir l'àvia, inesperadament—. Ja saps que t'estimen.

—Però vull saber el final de la història —va dir en Ben, frustrat. Estava ansiós per saber què va passar després.

—Ja el sabràs. Un altre dia.

—Però àvia...

—Ben, has de tornar a casa.

—Això no és just!

—Ben, te n'has d'anar. El dia que tornis, t'explicaré el que va passar.

—Però...!

—Ja continuarem... —va dir l'àvia.

11

Mongetes amb formatge i botifarra

En Ben es va afanyar a tornar a casa amb bici. Ni tan sols es va adonar que les cames li cremaven i el pit li punyia. Anava tan ràpid que va pensar que la policia li posaria una multa. I el cap li anava tan de pressa com les rodes de la bici.

Era possible que la seva àvia vellcta fos realment una malfactora?!

Una àvia malfactora?!

Per això li devien agradar tant els llibres de malfactors i bandes que llegia, perquè ella n'era una d'important!

Va arribar a la porta del darrere just quan sonava a tot drap el tema final de *Senzillament estrelles del ball* des de la sala d'estar.

Però quan en Ben es disposava a desaparèixer cap a dalt per fer veure que havia estat a l'habitació fent els deures, la mare va entrar a la cuina.

—Què fas? —va preguntar, recelosa—. Estàs molt suat.

—Ah, res —va dir en Ben, que es notava amarat de suor.

—Fixa't —va continuar la mare, acostant-se-li—. Però si sues com un porc.

En Ben havia vist alguns porcs i cap dels que havia vist suava. De fet, els experts en porcs d'on sigui us confirmaran que els porcs ni tan sols tenen glàndules sudorípares, per tant, no poden suar.

Caram, aquest llibre és realment educatiu.

—No suo —va protestar en Ben. El fet que l'haguessin acusat de suar, el va fer suar encara més.

—I tant que sues. Que has sortit a córrer?

—No —va respondre en Ben, més suat impossible.

—Ben, no em diguis mentides. Sóc la teva mare —va dir. Es va assenyalar a si mateixa i una ungla postissa li va sortir volant enlaire.

Les ungles postisses li queien tot sovint. Una vegada, en Ben se n'havia trobat una a la paella bolonyesa precuinada.

—Doncs si no has sortit a córrer, Ben, com és que sues tant?

En Ben va haver de pensar ràpid. El tema de *Senzillament estrelles del ball* s'estava acabant.

—Estava ballant! —va etzibar.

—Ballant? —La mare no n'estava gens convençuda. En Ben no era cap Flavio Flavioli. I per descomptat, odiava els balls de saló.

—Sí, bé, he canviat d'idea sobre els balls de saló. M'encanten!

—Però si sempre has dit que els odiaves! —va contestar la mare, cada vegada més desconfiada—. Moltíssimes vegades. La setmana passada vas dir que preferiries menjar-te els mocs abans de mirar aquesta porqueria. I mira que això va ser com si em clavessin un punyal al cor!

La mare estava cada vegada més molesta, només de pensar en aquell comentari.

—Em sap greu, mare, de debò.

En Ben va allargar una mà per consolar-la i amb el moviment una altra ungla postissa va caure a terra.

—Però ara m'encanten, de debò. Estava mirant *Senzillament* per l'escletxa de la porta i provava d'imitar els moviments.

La mare va somriure amb orgull. Era com si, de sobte, tota la seva vida hagués adquirit sentit. Tot d'una va posar una expressió feliç i trista alhora, com si això fos el destí.

—Vols ser un... —va respirar fondo— ...ballarí professional?

—On són les mongetes amb formatge i botifarra, reina? —va cridar el pare, des de la sala d'estar.

—Calla, Pete! —La mare tenia els ulls humits de llàgrimes d'alegria.

No plorava des que en Flavio va ser expulsat del concurs la segona setmana, la temporada anterior. En Flavio es va veure obligat a anar de parella amb la dama Rachel Prejudice, que estava tan grassoneta que l'únic que en Flavio podia fer era arrossegar-la per la pista.

—Bé... mmm... eeeh... —En Ben pensava en la manera de sortir d'aquesta—. Doncs, sí.

No era la millor manera de sortir-se'n.

—Sí! Ho sabia! —va cridar la mare—. Pete, vine un moment. En Ben t'ha de dir una cosa.

El pare hi va anar amb aire cansat.

—Què passa, Ben? No deus voler treballar en un circ, ara, oi? Ostres, sí que estàs suat!

—No, Pete —va dir la mare, parlant a poc a poc, com si estigués a punt de llegir el nom del guanyador en una cerimònia d'entrega de premis—. En Ben ja no vol ser un estúpid lampista...

—Gràcies a Déu —va dir el pare.

—Vol ser... —La mare va mirar el fill—. Digue-l'hi, Ben.

En Ben va obrir la boca, però abans que la mare pogués parlar se li va avançar.

—En Ben vol ser ballarí professional de balls de saló!

—Oh, gràcies a Déu! —va exclamar el pare.

Va mirar cap al sostre groguenc de nicotina com si hi pogués veure Déu.

—Resulta que estava practicant a la cuina —va balbucejar la mare, excitada—. Imitava els moviments dels concursants del programa...

El pare va mirar el fill als ulls i li va estrènyer la mà amb força.

—Això és fantàstic, nano! La teva mare i jo no hem aconseguit gaire res a la vida. Com que la mare fa la manicura...

—Sóc tècnica en manicura, Pete! —va corregir-lo la mare, tota ofesa—. Hi ha una gran diferència, Pete, ja ho saps...

—Bé, doncs, tècnica de manicura. Perdona. I jo, que sóc un simple guarda de seguretat perquè estava massa gras per fer de policia... El més emocionant que m'ha passat en un any ha estat aturar un home amb cadira de rodes que sortia a tot drap de la botiga amb una llauna de crema amagada sota la manta. Però que tu vulguis ser un professional dels balls de saló... bé... això... és la cosa més extraordinària que mai ens ha passat.

—Sí, la més extraordinària! —va dir la mare.

—La més més extraordinària! —va dir el pare.

—Ai, sí, la més més més extraordinària, és veritat —va dir la mare.

—Bé, matem-ho dient que és increïblement extraordinària —va dir el pare, irritat—. Però jo només t'aviso, nano, que això no serà fàcil. Si t'entrenes vuit hores al dia, cada dia de la setmana, durant els propers vint anys, potser aconseguiràs sortir al programa de la tele.

—Potser podrà anar a la versió americana! —va exclamar la mare—. Oh, Pete, t'imagines? El teu nen convertit en estrella a Amèrica!

—Bé, tampoc no cal precipitar-se, dona. Encara no ha ni guanyat la versió anglesa. Ara el que hem de fer és inscriure'l en una competició júnior.

—Tens raó, Pete. La Gail em va dir que en fan una a l'ajuntament just abans de Nadal.

—Va, obrim el xampany, reina! El nostre nen serà un campió del txa-txa-txa!

Una paraulota va esclatar de cop dins del cap d'en Ben.

Una de les grosses.

Com carai se'n sortiria, d'aquesta?!

12

La bomba d'amor

En Ben es va passar tot el diumenge al matí suportant que els pares li prenguessin mides per al vestit de ball. La mare s'havia quedat llevada tota la nit, per fer esbossos de possibles dissenys.

Sota pressió, es va veure obligat a triar-ne un, i va assenyalar amb un dit esmorteït el que li va semblar menys horrorós.

Els esbossos de la mare cobrien tot el ventall, des de la vergonya fins a la humiliació.

Hi havia:

El bosc

La macedònia de fruites

Llamps i trons

Accidents i urgències

Gel amb rodanxa de llimona

L'arbust i el teixó

La capsa de bombons

Ous amb béicon

Confeti

Món submarí

Amor ardent

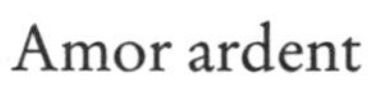

Formatge i cebes en vinagre

El sistema solar

L'home piano

I el que en Ben va pensar que era el menys horrorós va ser... la bomba d'amor.

—T'haurem de buscar una noia ben maca com a parella per a la competició! —va dir la mare, emocionada, i tot seguit va passar accidentalment una de les ungles postisses per la màquina de cosir i es va esmicolar.

En Ben no havia pensat en la parella de ball. És a dir, que no només hauria de ballar, sinó que hauria de fer-ho amb una nena! I no qualsevol, sinó una nena repugnant i precoç, amb un bronzejat fals, mitges i massa maquillatge.

En Ben encara estava a l'edat de pensar que les nenes eren tan atractives com un capgròs.

—No cal, ja ballaré sol —va balbucejar.

—Un solo?! —va exclamar la mare—. Que original!

—De fet, no em puc passar el sant dia parlant. Val més que vagi a practicar —va dir en Ben, i va desaparèixer cap a dalt a l'habitació. Va tancar la porta, va engegar la ràdio, va sortir per la finestra i va anar cap a casa l'àvia amb la bici.

—O sigui, que corries cap al bosc quan lord Davenport et va començar a disparar... —En Ben instava l'àvia a parlar, impacient per saber la continuació de la història.

Però en aquell moment, l'àvia tenia la ment totalment en blanc.

—Ah, sí? —va dir l'àvia, que semblava cada vegada més confosa.

—Va ser on vas acabar la història ahir a la nit. Vas dir que havies agafat l'anell de l'habitació dels Davenport, i que corries pel jardí quan vas començar a sentir els trets.

—Ah, sí, sí —va mussitar l'àvia, a la qual de sobte se li va il·luminar la cara.

En Ben va somriure satisfet. Tot d'una, va recordar que quan era més petit li encantava quan l'àvia li explicava històries que el transportaven a un món màgic. Un món en el qual et crees unes imatges a la ment que són molt més emocionants que totes les pel·lícules, els programes de la tele o els videojocs de l'univers.

Feia només una setmana, havia fingit que dormia per evitar que l'àvia li expliqués un conte abans d'anar a dormir. Sens dubte, havia oblidat com n'eren, d'emocionants.

—Doncs bé, corria i corria —va continuar l'àvia, sense alè, com si de fet estigués corrent— i vaig sentir el ressò d'un tret. Després un altre. Pel so vaig saber segur que era una escopeta i no un rifle...

—Quina diferència hi ha? —va preguntar en Ben.

—Doncs mira, que una escopeta dispara una bala i és més precisa. En canvi, un rifle dispara centenars de petites bales mortíferes de plom. Qualsevol idiota et pot tocar, si et dispara amb un rifle.

—I ho va fer? —va dir en Ben. El somriure li havia desaparegut. Estava realment amoïnat.

—Sí, però per sort, llavors ja estava molt lluny i només em va fregar. També sentia els gossos lladrant. Em seguien; i jo només era una nena. Si m'haguessin agafat, m'haurien esquinçat...

En Ben va deixar anar un crit ofegat.

—Així, com et vas poder escapar? —va preguntar.

—Em vaig arriscar. No podia córrer més que els gossos, pel bosc. Ni el corredor més ràpid del món podria fer-ho. Però coneixia molt bé el bosc. Hi jugava moltes hores, amb els meus germans. Sabia que si aconseguia travessar el rierol, els gossos perdrien el rastre.

—Per què?

—Doncs perquè els gossos no poden seguir un rastre per l'aigua. I hi havia un gran roure a l'altra riba. Si aconseguia enfilar-m'hi, segurament estaria fora de perill.

En Ben no es podia imaginar l'àvia pujant una escala, i encara menys enfilant-se a un arbre. Pel que ell recordava, l'àvia sempre havia viscut a la seva caseta.

—Van ressonar més trets a través de la foscor mentre jo corria cap al rierol —va continuar la velleta—. I em vaig trobar de sobte en la tenebror del bosc. Vaig ensopegar amb l'arrel d'un arbre i vaig caure de cara al fang. Em vaig esforçar a aixecar-me, em vaig girar i vaig veure un exèrcit d'homes a cavall encapçalat per lord Davenport. Duien torxes i escopetes. Tot el bosc estava il·luminat pel foc de les torxes. Vaig ficar-me al riu. Era més o menys aquesta època de l'any, és a dir, gairebé hivern, i l'aigua estava glaçada. El fred em va causar un xoc i gairebé em va tallar l'alè. Vaig tapar-me la boca amb la mà per esmorteir el crit. Sentia que els gossos eren cada vegada més a prop, lladraven com bojos. Devia haver-n'hi dotzenes. Em vaig girar i vaig veure'ls les dents brillant contra la llum de la lluna.

»De manera que vaig travessar el rierol i vaig començar-me a enfilar a l'arbre. Tenia les mans en-

fangades i les cames i els peus molls. No feia més que relliscar pel tronc. Em vaig fregar les mans frenèticament a la camisa de dormir i vaig provar d'enfilar-me de nou. Vaig arribar fins a dalt de tot de l'arbre i em vaig quedar tan quieta com vaig poder. Vaig sentir els gossos i l'exèrcit d'homes d'en Davenport que seguien riu avall cap a una part diferent del bosc. Els ferotges lladrucs dels gossos cada vegada eren més distants, i les torxes ben aviat es van convertir en puntets a la llunyania. Estava fora de perill. Em vaig quedar hores tremolant a dalt d'aquell arbre. Vaig esperar-me fins a l'albada, i després vaig tornar cap a casa. Em vaig ficar al llit i vaig estirar-me una estoneta fins que va sortir el sol.

En Ben es podia imaginar perfectament tot el que l'àvia li descrivia. El tenia completament encisat.

—Et van venir a buscar? —va preguntar.

—Bé, diguem que ningú no em va buscar prou bé. En Davenport i els seus homes van regirar tot el poble. Van remenar cada casa buscant l'anell, però no em van descobrir.

—I no vas dir res?

—Volia dir-ho. Em sentia tan culpable... Però sabia que si ho deia tindria greus problemes. Lord Davenport m'hauria fet assotar públicament a la plaça del poble.

—I què vas fer?

—Jo... me'l vaig empassar.

En Ben no s'ho podia creure.

—L'anell, àvia? Et vas empassar l'anell?

—Vaig pensar que era la millor manera d'amagar-lo. Al meu estómac. Al cap d'uns dies el vaig recuperar quan vaig anar al vàter.

—Ostres, quin mal que et devia fer! —va dir en Ben, que va remoure el cul només de pensar-hi. Fer passar un anell de diamant gros pel cul no semblava pas gaire divertit.

—Sí que em va fer mal. De fet, va ser insuportable —va dir l'àvia, fent una ganyota—. La qüestió és que aleshores casa nostra ja havia estat escorcollada de dalt a baix, no els meus baixos, sinó els de la casa... —En Ben va riure— ...i els homes d'en Davenport ja se n'havien anat a continuar la recerca al poble veí. Llavors, una nit, vaig anar al bosc i vaig amagar l'anell. El vaig ficar en un lloc on mai ningú miraria: sota una roca del riu.

—Que llesta! —va dir en Ben.

—Però aquell anell només va ser el primer de molts, Ben. Robar-lo havia estat l'emoció més gran de la meva vida. I cada nit, quan em ficava al llit, no feia res més que somiar que robava més i més diamants. Aquell anell només era el principi... —va continuar l'àvia amb un lleu xiuxiueig, sense apartar la vista dels ulls innocents d'en Ben— ...de tota una vida de delinqüència.

13

Tota una vida de delinqüència

Van passar les hores com si fossin minuts. L'àvia li va explicar al nét com havia robat cadascuna de les peces que va anar escampant pel terra de la sala d'estar.

La gran tiara era de l'esposa del president dels Estats Units d'Amèrica, la Primera Dama. L'àvia li va explicar que, més de cinquanta anys enrere, havia anat a Amèrica en un creuer per robar la tiara a la Casa Blanca, a Washington. I que de tornada a casa, havia robat joies a totes les dones riques del vaixell! Li va explicar que el capità l'havia enxampat in fraganti i es va escapar tirant-se per la borda i nedant els pocs quilòmetres de l'oceà Atlàntic fins a Anglaterra amb totes les joies amagades a les calces.

L'àvia va explicar a en Ben que les arracades de maragdes que feia dècades que tenia guardades a casa estaven valorades en més d'un milió de lliures cadascuna. Eren d'una maharani, l'esposa d'un maharajà indi molt i molt ric. La velleta li va explicar com va recórrer a l'ajuda d'una manada d'elefants per robar-les. Va entabanar els elefants perquè es posessin un sobre l'altre per tal de formar una escala gegant, de manera que pogués escalar el mur de la fortalesa índia on hi havia les arracades guardades a la cambra reial.

La història més impressionant era la de l'enorme fermall amb un diamant blau i un safir que brillava sobre la catifa gastada de la seva sala d'estar. L'àvia va dir a en Ben que havia pertangut a l'última emperadriu de Rússia, que va governar amb el seu marit el tsar abans de la revolució comunista

de 1917. Havia estat molts anys exposat en una vitrina de vidre antibales al museu Hermitage de Sant Petersburg, vigilat vint-i-quatre hores al dia, set dies a la setmana, tres-cents seixanta-cinc dies a l'any, per un escamot de temibles cosacs.

Aquest robatori havia requerit el pla més elaborat de tots. L'àvia s'havia amagat en una antiga armadura del museu, datada centenars d'anys enrere, de l'època

de Caterina la Gran. Cada vegada que els soldats miraven cap a una altra banda, ella avançava uns quants mil·límetres amb el vestit de metall posat, fins que es va acostar prou al fermall. Li va costar una setmana.

—Com si juguessis a Estop? —va preguntar en Ben.

—Exacte, noiet! —va respondre—. Llavors vaig trencar el vidre amb la destral platejada que duia a la mà i vaig agafar el fermall.

—I com et vas escapar, àvia?

—Bona pregunta... A veure, com em vaig escapar? —Semblava desconcertada—. Ai, perdona, maco, això és l'edat... M'oblido de les coses.

En Ben va somriure amb expressió comprensiva.

—No passa res, àvia.

De seguida va semblar que li tornava la memòria.

—Ara, ja me'n recordo! —va continuar—. Vaig córrer cap al jardí del museu, em vaig ficar dins d'un enorme canó i em vaig fer disparar a mi mateixa per escapar-me!

En Ben s'ho va imaginar per un moment: l'àvia, a la Rússia profunda, volant per l'aire vestida amb una antiga armadura. Es feia difícil de creure, però si no, de quina altra manera hauria pogut aconseguir una col·lecció tan impressionant de pedres precioses, aquella velleta?

A en Ben li encantaven les històries de l'àvia. A casa, ningú no li havia explicat ni llegit cap conte. Els seus pares engegaven la tele i s'escarxofaven al sofà quan arribaven de treballar. Escoltar l'àvia explicant històries era tan emocionant que a en Ben li van venir ganes d'anar a viure amb ella. S'hi podria passar tot el dia, escoltant l'àvia.

—No hi deu haver ni una joia al món que no hagis robat! —va dir en Ben.

—I tant que sí, jovenet. Un moment, què és això?

—El què? —va dir en Ben.

L'àvia assenyalava darrere del cap d'en Ben, amb una expressió d'horror a la cara.

—És... És...

—Què? —va dir en Ben, que no gosava girar-se per mirar el que l'àvia assenyalava. Un calfred li va recórrer l'espinada.

—Passi el que passi —va dir l'àvia—, no et giris.

14

Un veí tafaner

En Ben no ho va poder evitar i va desviar la mirada cap a la finestra. Durant uns instants va veure una figura fosca amb un estrany barret que espiava a través del vidre brut, i llavors ràpidament va desaparèixer de vista.

—Hi havia un home espiant per la finestra! —va dir en Ben sense alè.

—Ja ho sé —va dir l'àvia—. T'he dit que no miressis.

—Vols que surti i vagi a veure qui era? —va dir en Ben, que intentava amagar la por. En realitat, el que volia era que sortís l'àvia a donar un cop d'ull.

—Estic segura que era aquest veí tan tafaner, el senyor Parker. Viu al número set, sempre duu un barret d'aquests aplanats, a l'estil Buster Keaton, i sempre m'espia.

—Per què? —va preguntar en Ben. L'àvia va arronsar les espatlles.

—No ho sé. M'imagino que té fred al cap, o alguna cosa així.

—Què? —va dir en Ben—. Ah! No, no parlo del barret. Vull dir que per què t'espia?

—És un comandant retirat, i ara dirigeix el Programa de Vigilància Veïnal a Grey Close.

—Què vol dir «vigilància veïnal»? —va preguntar en Ben.

—Doncs és un grup de persones del barri que vigilen per si hi ha lladres. Però resulta que el senyor Parker ho fa servir com a excusa per espiar tothom, el molt tafaner. Sovint, quan torno del supermercat carregada amb la bossa de cols, el veig amagat darrere les cortines amb uns binocles.

—Que sospita alguna cosa de tu? —va dir en Ben, que ja estava esverat. No volia anar a la presó com a còmplice d'una delinqüent. De fet, no sabia gaire què volia dir ser «còmplice», però sabia que era un delicte, i sabia que era massa jove per anar a la presó.

—Sospita de tothom. No li haurem de treure l'ull de sobre, jovenet. Aquest home és una amenaça.

En Ben va acostar-se a la finestra i va mirar a fora. No va veure ningú.

RRRRRRRRRRRIIIIIIIIIIIIIIINNNNNNNN GGGGGGGGG!

A en Ben li va fer un salt el cor. Només era el timbre de la porta, però si deixaven entrar el senyor Parker, veuria totes les proves que la policia necessitava per enviar en Ben i l'àvia de dret a la presó.

—No obris! —va dir en Ben, mentre s'abocava apressat sobre les joies i les tornava a guardar dins de la capsa.

—Què vols dir, que no obri?! Ja ho sap, que sóc a casa. El senyor Parker ens acaba de veure per la finestra. Tu obre la porta i mentrestant jo amagaré les joies.

—Jo?

—Sí, tu! Afanya't!

RRRRRRRRRRRIIIIIIIIIIIIIIIIIIII NNNNNNNNNNNNNNNNGGGGGGGGGG!

Aquesta vegada era més insistent. El senyor Parker havia deixat el dit enganxat al timbre. En Ben va respirar fondo i es va dirigir tranquil·lament a la porta principal.

La va obrir.

A fora hi havia un home amb un barret d'allò més absurd. No us ho creieu? Doncs aquí el teniu, perquè vegeu com n'era, de ridícul:

—Sí? —va dir en Ben, amb un to de veu agut—. En què el puc ajudar?

El senyor Parker va posar un peu a dins de casa perquè en Ben no pogués tancar la porta.

—Qui ets tu? —va lladrar, amb veu de nas.

Tenia un nas molt gran, de tafaner de mena. I amb aquell nas feia una veu molt nasal, i per tant, tot el que deia, encara que fos seriós, semblava una mica absurd. Però tenia els ulls brillants i vermells com un dimoni.

—Sóc un amic de l'àvia —va balbucejar en Ben.

«Per què ho he dit, això?», va pensar. La veritat era que tenia tanta por, que la llengua li anava sola.

—Un amic? —va dir el senyor Parker, mentre empenyia una mica més la porta. Era més forçut que en Ben, i no li va costar gaire obrir-se pas cap a dins.

—Vull dir que sóc el seu nét, senyor Parker... —va dir en Ben, que es va començar a retirar cap a la sala d'estar.

—Per què em dius mentides? —va preguntar el senyor Parker. Va fer unes passes endavant i en Ben en va fer unes quantes enrere. Com si ballessin un tango.

—No dic mentides! —va cridar en Ben.

Van arribar a la porta de la sala d'estar.

—No hi pot entrar aquí! —va cridar en Ben,

que no es podia treure del cap la imatge de les joies escampades a sobre la catifa.

—Per què no?

—Eeeh... mmm... Perquè l'àvia fa la seva sessió de ioga despullada!

En Ben necessitava una excusa dràstica per evitar que el senyor Parker obrís la porta i veiés totes les joies. Va veure força clar que ho havia aconseguit, perquè el senyor Parker es va aturar i va arrugar el front.

Però malauradament, el veí tafaner no estava convençut.

—Sessió de ioga despullada? Au, vinga! He de parlar amb la teva àvia ara mateix. Surt del meu davant, petit cuc de terra! —va exclamar.

Va fer apartar el noi amb una empenta i va obrir la porta de la sala d'estar.

L'àvia devia haver sentit en Ben rere la porta, perquè quan el senyor Parker hi va entrar, estava dreta, amb calces i sostenidors, fent una posa de ballarina.

—Senyor Parker, sisplau! —va dir l'àvia, amb un horror fingit pel fet que l'home l'hagués vist mig despullada.

El senyor Parker va apartar de seguida la vista. No sabia cap on mirar, de manera que va clavar els ulls a la catifa, ara buida.

—Perdoni, senyora, però li volia preguntar... on són totes aquelles joies que he vist fa un moment?

En Ben va veure la capsa metàl·lica del Jubileu que sobresortia del darrere del sofà. Subreptíciament, s'hi va acostar i hi va donar un cop de peu per amagar-la.

—Quines joies, senyor Parker? Que ja em tornava a espiar? —va preguntar l'àvia, que continuava amb roba interior.

—Bé, jo... mmm... —va balbucejar—. Tenia un bon motiu per fer-ho. M'ha semblat sospitós quan he vist que un jove entrava a casa seva. He pensat que potser era un lladre.

—Però si ha entrat per la porta principal...

—Podria haver estat un lladre molt amable. Podria haver entrat guanyant-se la seva confiança.

—És el meu nét. Ve aquí cada divendres al vespre.

—Ah! —va dir el senyor Parker, triomfant—. Però avui no és divendres al vespre! Per això m'ha semblat tan sospitós. I com a responsable del Programa de Vigilància Veïnal de Grey Close, he d'informar la policia de qualsevol cosa sospitosa.

—Jo sí que tinc ganes d'informar la policia, senyor Parker! —va dir en Ben.

L'àvia el va mirar encuriosida.

—Per què? —va dir l'home.

Va aprimar els ulls. Els tenia tan vermells, que semblava que se li calés foc al cervell.

—Per espiar velletes en roba interior! —Va dir en Ben, satisfet. L'àvia li va picar l'ullet.

—Anava ben vestida quan he mirat per la finestra... —va protestar el senyor Parker.

—Això és el que diuen tots! —va dir l'àvia—. I ara, fora de casa meva abans que el faci detenir per badoc!

—No s'acaba aquí això. Bon dia! —va dir el senyor Parker. I tot seguit, es va girar i va sortir de la sala d'estar.

L'àvia i en Ben van sentir que la porta principal es tancava amb un cop fort i llavors van córrer a la finestra per mirar el senyor Parker tornant cap a casa seva.

—Em sembla que l'hem espantat —va dir en Ben.

—Però tornarà —va dir l'àvia—. Hem d'anar amb molt de compte.

—Sí —va dir en Ben, bastant alarmat—. És millor que amaguem aquesta capsa en algun altre lloc.

L'àvia es va quedar pensant uns instants.

—Ja ho tinc, la posarem a sota de les posts del parquet.

—D'acord —va dir en Ben—. Però primer...

—Sí, Ben?

—Potser val més que et vesteixis.

15

Temerari i emocionant

Un cop l'àvia es va haver vestit, ella i en Ben van seure al sofà.

—Àvia, abans que vingués el senyor Parker, m'estaves explicant que hi havia una joia que no havies robat mai —va xiuxiuejar en Ben.

—Sempre hi ha alguna cosa especial que a qualsevol lladre del món li encantaria tenir a les mans. Però és impossible. No es pot aconseguir.

—Estic segur que podries, àvia. Ets la millor lladre del món!

—Gràcies, Ben. Potser sí, que ho sóc, o més aviat ho era... i robar aquestes joies especials segurament seria el somni de qualsevol lladre, però seria... bé... impossible.

—Joies? Que n'hi ha més d'una?

—Sí, rei. L'última vegada que algú va intentar robar-les va ser fa tres-cents anys. Un tal capità Blood, em sembla. I no crec que a la reina li fes gaire gràcia... —Va fer petar la llengua.

—No deus voler dir...

—Les joies de la Corona, sí, noiet.

En Ben havia estudiat les joies de la Corona a classe d'Història, a l'escola. La Història era una de les poques assignatures que li agradaven, sobretot per tots els càstigs sagnants que aplicaven en altres èpoques. El «penjat, arrossegat i esquarterat» era el seu preferit, tot i que també li agradava la roda, la foguera, i per descomptat, l'atiador roent pel cul.

I a vosaltres, no?

A l'escola, en Ben havia après que les joies de la Corona consistien en un conjunt de corones, espases, ceptres, anells, braçalets i orbes, alguns dels quals tenien gairebé mil anys d'antiguitat. S'utilitzaven quan coronaven un nou rei o reina, i des de l'any 1303, estaven guardades amb pany i clau a la Torre de Londres.

En Ben havia suplicat als seus pares que l'hi portessin, per veure-les, però li havien dit que Londres era massa lluny (malgrat que no ho era tant).

La veritat és que mai no anaven enlloc, tots tres junts. Quan en Ben era més petit, solia escoltar en secret i amb admiració els seus companys de classe, quan explicaven les seves innombrables aventures a «mostra i explica». Excursions al mar, visites a museus, vacances a l'estranger... I se li feia un nus a l'estómac quan li arribava el torn a ell. Li feia massa vergonya admetre que l'únic que havia fet durant les vacances era menjar plats preparats al microones i mirar la televisió, de manera que s'inventava històries on feia volar estels, s'enfilava als arbres i explorava castells.

Però ara tenia la millor història per a «mostra i explica» de la seva vida. La seva àvia era una lladre de joies internacional. Una malfactora! La llàstima era que, si ho explicava, tancarien l'estimada àvia a la presó i en llançarien la clau al mar.

En Ben es va adonar que era la seva oportunitat de fer alguna cosa esbojarrada, temerària i emocionant.

—Jo et puc ajudar —va dir en Ben, en un to de veu fred i calmat, malgrat que el cor li anava més ràpid que mai.

—Ajudar-me a què? —va dir la velleta, una mica confosa.

—A robar les joies de la Corona, és clar! —va dir en Ben.

16

«N» «O» és «NO»

—No! —va cridar l'àvia, esverada. Tot seguit, l'audiòfon va començar a xiular molt fort.

—Sí! —va cridar en Ben.

—No!

—Sí!

—Nooo!

—Que sí!

—NOOOOOOOOOOOOOOOOOOO
OOOOOOOOOOOOOOOOOOOOOOO!

—SIIIIIIIIIIIIIIIIIIIIIIIIIIIIIIIIIIIIIIIII
IIIIIIIIIIIIIIIIIIIIIIIIIIIIIIIIIIIIIIIIIIIÍ!

Van estar així uns quants minuts, però per estalviar paper, i per tant, arbres i per tant, bosc i per tant, pcr preservar el medi ambient i per tant, el món, he intentat fer-ho reduït.

—És absolutament impossible que permeti que un nen de la teva edat m'ajudi a cometre un robatori. I precisament el robatori de les joies de la Corona! A part que això és absolutament impossible! No es pot fer! —va exclamar l'àvia.

—Hi ha d'haver alguna manera... —va dir en Ben.

—Ben, he dit que «no» i és definitiu!

—Però...

—No hi ha peròs que valguin, Ben. No. «N» i «O» és «no».

En Ben va quedar molt decebut, però va veure que seria impossible fer canviar l'àvia de pensament.

—Doncs així, val més que me'n vagi —va dir en Ben, abatut.

L'àvia també semblava una mica abatuda.

—Sí, rei, val més que te'n vagis a casa, que els teus pares deuen patir.

—Segur que no...

—Ben! Vés cap a casa! Ara mateix!

En Ben es va entristir en veure que l'àvia ja tornava a fer d'adulta avorrida, just quan començava a ser una persona tan interessant. De totes maneres, va fer el que li deia. El més important en aquell moment era que els seus pares no sospitessin res, o sigui que va tornar a casa, es va enfilar per la canonada fins a la finestra de la seva habitació i llavors va baixar per les escales cap a la sala d'estar.

Evidentment, els seus pares no havien patit gens per en Ben. Estaven massa atrafegats planejant l'ascens del seu fill a la fama per adonar-se que no hi era.

El pare no havia parat de trucar a la línia directa de competicions nacionals de ball per a menors de dotze anys fins que va aconseguir inscriure en Ben. La mare tenia raó, la competició se celebraria a l'ajuntament al cap de quinze dies. No hi havia temps per perdre, i per això va treballar moltes estones en el vestit de la bomba d'amor del seu fill.

—Com van els assajos, nano? —va preguntar el pare—. Fa l'efecte que has treballat força, oi?

—Bé, gràcies, pare —va mentir en Ben—. Em sembla que estic aconseguint una cosa bastant espectacular per a la gran nit.

En Ben va maleir per dins aquelles paraules que li sortien soles de la boca.

Una cosa espectacular?

Tindria sort si aconseguia no caure a terra i quedar estabornit.

—Ai, estem impacients per veure-ho! Ja falta menys! —va dir la mare, sense alçar la vista de la màquina de cosir. Estava cosint tota una filera de cors vermells brillants al costat dels pantalons de licra.

—De moment prefereixo assajar tot sol, mare, ja saps... —En Ben va empassar-se saliva nerviosament—. Fins que no estigui completament preparat per ensenyar-vos-ho.

—Sí, és clar, ho comprenem, fill —va dir la mare.

En Ben va sospirar, alleujat. Acabava d'aconseguir una mica més de temps.

Però només una mica.

En un parell de setmanes, en Ben hauria de ballar en solitari al davant de tota la ciutat.

Va seure al llit i va ficar la mà a sota, a l'amagatall d'*El Setmanari del Llauner*. Va fullejar una revista de l'any anterior i va veure un article que es titulava «Petita història de la lampisteria», que parlava d'algunes de les canonades més antigues de Londres. En Ben va girar frenèticament les pàgines per llegir-lo.

Eureka! Ho havia trobat.

Centenars d'anys enrere, el riu Tàmesi, a la riba del qual hi ha situada la Torre de Londres, era una claveguera oberta. (Tècnicament parlant, això vol dir que hi havia un munt de caca i pipí.)

Els edificis de tot el llarg de la riba senzillament tenien unes grans canonades que anaven des del lavabo directament cap al riu. A la revista hi havia uns diagrames detallats de diversos edificis famosos de Londres, que mostraven les antigues canonades del clavegueram connectades al riu.

I...

En Ben va resseguir l'article amb el dit...

Sí! Hi havia un diagrama de les canonades del clavegueram de la Torre de Londres.

Això podia ser la clau per poder robar les joies de la Corona. Hi havia una canonada que feia gai-

rebé un metre d'amplada, prou gran perquè un nen hi pogués pujar. I potser fins i tot prou gran per a una velleta!

L'article també explicava que, quan es va modernitzar el sistema de canonades i es va instal·lar un clavegueram adequat, moltes de les canonades antigues simplement es van deixar allà on eren, perquè era més senzill que no treure-les.

A en Ben li bullia el cap només de pensar el que allò significava. Era possible —només possible—, que hi hagués una gran canonada que portés del Tàmesi fins a la Torre de Londres, i que la majoria de gent, a part dels entusiastes de la lampisteria, n'hagués oblidat l'existència. En Ben no ho hauria sabut això, si no fos subscriptor d'*El Setmanari del Llauner.*

Ell i l'àvia podien pujar per aquella canonada i arribar a la Torre...

«El pare i la mare estaven ben equivocats!,» va pensar. «La lampisteria pot ser d'allò més emocionant!»

Evidentment, es tractava d'una canonada del clavegueram, la qual cosa no era del tot ideal, però el pipí o la caca que pogués contenir seria de centenars d'anys enrere. En aquell moment, va sentir un cruixit al parquet i de sobte es va obrir la porta de l'habitació. Va entrar la mare amb una enorme peça de licra que semblava l'amenaçador vestit de la bomba d'amor.

En Ben va amagar ràpidament la revista a sota el llit, cosa que el va fer semblar increïblement culpable.

—Només volia que t'emprovessis el vestit —va dir la mare.

—Ah, sí —va dir en Ben, assegut al llit i empenyent maldestrament la pila d'*El Setmanari del Llauner* perquè la mirada encuriosida de la mare no les veiés.

—Què és això? —va preguntar—. Què has amagat quan he entrat? És aquella teva revista ximpleta?

—No —va dir en Ben, empassant-se saliva. Allò semblava pitjor del que era. Semblava que hagués amagat una revista obscena a sota el llit.

—No t'has de sentir culpable de res, Ben. Crec que és sa que expressis interès per les noies.

«Oh, no!», va pensar en Ben. «Ara la mare em parlarà de noies!»

—No hi ha res de vergonyós en el fet d'interessar-te per les noies, Ben.

—Que sí! Les noies són fastigoses!

—No, Ben, és la cosa més natural del món...

«Ostres, i no para!»

—EL SOPAR JA ESTÀ GAIREBÉ A PUNT, AMOR MEU! —va cridar el pare des de baix—. QUÈ HI FEU, AQUÍ DALT?

—PARLO DE NOIES AMB EN BEN! —va cridar la mare.

En Ben estava tan vermell, que si hagués obert molt la boca l'haurien pogut confondre amb una bústia.

—QUÈ? —va cridar el pare.

—NOIES! —va cridar la mare—. QUE PARLO DE NOIES AMB EN BEN!

—AH, D'ACORD! —va cridar el pare—. JA APAGO EL FORN!

—Per tant, Ben, si mai necessites...

BRING BRING. BRING BRING.

Era el mòbil de la mare, que li sonava a dins de la butxaca.

—Perdona, rei —va dir, mentre es col·locava l'auricular a l'orella—. Gail, et puc trucar d'aquí una estona? És que ara mateix estic parlant de noies amb en Ben. D'acord, gràcies. Fins ara.

Va penjar i va mirar en Ben.

—Perdona, on era? Ah, sí! Si mai necessites que fem una xerradeta sobre noies, no dubtis a demanar-m'ho. Pots estar ben segur que seré molt discreta...

17

La planificació del robatori

Per primera vegada a la vida, l'endemà al matí en Ben va fer campana a l'escola.

Gràcies a la seva afició a la lampisteria, la nit anterior havia descobert que la Torre de Londres tenia un punt feble. L'edifici més inexpugnable del món, on havien empresonat i executat alguns dels criminals més perillosos del país, tenia un punt feble: una llarga claveguera que conduïa directament al Tàmesi.

Aquesta vella canonada seria l'entrada i la sortida de la Torre per a ell i l'àvia! Era un pla bastant brillant, i en Ben no podia amagar l'emoció per aquell extraordinari descobriment.

Per això havia fet campana.

Estava ansiós perquè arribés el divendres a la nit i el pare i la mare el deixessin de nou a casa l'àvia.

Llavors intentaria convèncer l'àvia que tots dos junts podien robar les joies de la Corona. En Ben li mostraria el diagrama del sistema de clavegueram de la Torre de Londres que havia trobat a *El Setmanari del Llauner*, i així l'hi podria ensenyar bé. Es podrien passar tota la nit desperts i definir tots els detalls del robatori més audaç de tots els temps.

El problema era que, entremig, li quedava tota una setmana de classes, professors i deures. Tot i així, en Ben estava decidit a utilitzar sàviament la setmana escolar.

A la classe d'Informàtica, va examinar les joies de la Corona a la pàgina web i en va memoritzar tots els detalls.

A la classe d'Història, va fer preguntes sobre la Torre de Londres i sobre el lloc exacte de l'edifici on es guardaven les joies. (És a dir, la Casa de les Joies, per als amants de les dades.)

A la classe de Geografia, va trobar un atles de les illes Britàniques i va assenyalar el lloc precís del Tàmesi on hi havia situada la Torre.

A la classe d'Educació Física, es va oblidar del xandall expressament i, per tant, es va haver de quedar a fer flexions. Amb això, se li reforçarien els braços per tal de poder-se enfilar per la canonada i arribar fins a la Torre.

A la classe de Matemàtiques, va preguntar al professor quants paquets de xocolatines podies comprar amb cinc mil milions de lliures (que és el valor que atribuïen a les joies de la Corona). Les xocolatines eren els dolços preferits d'en Ben.

La resposta és deu mil milions de paquets, o vint-i-quatre mil milions de xocolatines individuals. Bé, amb això n'hi havia prou per a un any, com a mínim.

I segur que en Raj n'hi afegiria uns quants paquets gratis.

A la classe de Francès, en Ben va aprendre a dir: «No sé res del robatori que anomenen "les joies de la Corona". Sóc un simple camperol francès», per si de cas havia de fer veure que era un pobre camperol francès i així escapar-se de l'escena del crim.

A la classe d'Espanyol va aprendre a dir: «No sé res del robatori que anomenen "les joies de la Corona". Sóc un simple camperol espanyol», per si de cas havia de fer veure que era un pobre camperol espanyol i així escapar-se de l'escena del crim.

A la classe d'Alemany va aprendre a dir... bé, suposo que ja us en feu una idea.

A la classe de Ciències, en Ben va interrogar el mestre sobre com es pot penetrar un vidre antibales. Encara que aconseguissis entrar a la Casa de les Joics, agafar-les no devia ser fàcil, perquè estaven guardades darrere d'un vidre d'uns quants centímetres de gruix.

A classe d'Art, va agafar llumins i va fer una maqueta a escala amb tots els detalls de la Torre de Londres, per poder representar l'audaç robatori en miniatura.

La setmana li va passar volant, mai no havia trobat l'escola tan divertida. I més important encara: per primera vegada a la vida en Ben estava impacient per anar a veure l'àvia.

Quan va sortir de l'escola el divendres a la tarda, a en Ben li semblava que ja tenia totes les dades necessàries per dur a terme aquell pla tan audaç.

La notícia del robatori de les joies de la Corona sortiria per la tele durant setmanes, apareixeria a totes les webs i seria estampada a totes les portades dels diaris del país i de tot el món. No obstant això, ningú, absolutament ningú, sospitaria que els lladres havien estat una àvia i un nen d'onze anys. Farien el robatori del segle!

18

Hores de visita

—Avui no pots quedar-te a casa l'àvia —va dir el pare. Eren les quatre de la tarda del divendres i en Ben acabava d'arribar de l'escola. Era estrany que el pare fos a casa tan d'hora. Normalment no acabava el torn del supermercat fins a les vuit.

—Per què no? —va preguntar en Ben, que es va adonar que el pare estava amoïnat.

—Tinc una mala notícia, fill.

—Què passa? —va preguntar en Ben, també amb cara de preocupat.

—L'àvia és a l'hospital.

Al cap d'una estona, després de trobar un lloc per aparcar, en Ben i els seus pares travessaven les portes automàtiques de l'hospital. En Ben es va preguntar si el pare i la mare hi trobarien mai l'àvia, en aquell edifici. L'hospital era increïblement immens, era un enorme monument a la malaltia.

Hi havia uns ascensors que et duien fins a uns altres ascensors.

Passadissos de quilòmetres de llargada.

Cartells pertot arreu que en Ben no entenia:

UNITAT D'ATENCIÓ CORONÀRIA
RADIOLOGIA
OBSTETRÍCIA
UNITAT DE DIAGNOSI CLÍNICA
SALA D'EXPLORACIÓ D'RMF

Els portalliteres duien amunt i avall pacients amb cara d'estupefacció, en lliteres o en cadires de rodes, i pel camí es creuaven metges i infermeres que semblava que fes dies que no dormien.

Quan finalment van trobar la sala on hi havia l'àvia, a la planta dinou, al principi en Ben no la va reconèixer.

Tenia els cabells aixafats, no duia les ulleres posades ni la dentadura postissa, i en comptes de la seva roba, duia una camisa de dormir de l'hospital. Era com si li haguessin pres les coses que la caracteritzaven com l'àvia, i només en quedés l'exterior.

En Ben es va posar molt trist quan la va veure d'aquella manera, però va intentar amagar-ho. No volia amoïnar-la.

—Hola, macos —va dir l'àvia. Tenia la veu ronca i una mica pastosa. En Ben va haver de respirar fondo per no posar-se a plorar.

—Com et trobes, mare? —va preguntar el pare d'en Ben.

—No gaire espavilada —va respondre—. He caigut.

—Has caigut? —va preguntar en Ben.

—Sí. Però no me'n recordo gaire. Tot plegat, estava abastant un pot de sopa de col del rebost, i el següent que recordo és que estava estirada sobre el linòleum, de panxa enlaire. La meva cosina, l'Edna, m'ha trucat unes quantes vegades des de la residència d'avis on viu. Com que no contestava, ha avisat una ambulància.

—Quan has caigut, àvia? —va preguntar en Ben.

—A veure, deixa'm pensar... vaig estar dos dies estirada al terra de la cuina, o sigui que això devia ser dimecres al matí. No arribava a agafar el telèfon.

—Em sap greu, mare —va dir el pare, en veu baixa. En Ben mai no havia vist el pare tan amoïnat.

—Fa gràcia, perquè precisament dimecres et volia trucar, només per xerrar una mica, per veure com estaves —va mentir la mare. Mai de la vida no havia trucat a l'àvia; i si l'àvia trucava alguna vegada, a la mare li faltava temps per penjar el telèfon.

—No ho podies saber, maca —va dir l'àvia—. Aquest matí m'han fet un munt de proves per veure què em passa, radiografies i escàners i coses d'aquestes. Demà tindran els resultats. Espero no haver-me de quedar gaire temps aquí.

—Jo també ho espero —va dir en Ben.

Es va fer un silenci incòmode.

Ningú no sabia ni què dir ni què fer.

La mare va fer un copet de colze al pare i va fer el gest de mirar el rellotge.

En Ben sabia que els hospitals la feien sentir incòmoda. Quan a ell el van operar de l'apèndix un parell d'anys enrere, només l'havia anat a veure dues vegades, i tot i així s'havia sentit inquieta.

—Bé, doncs valdrà més que marxem —va dir el pare.

—Sí, sí, aneu —va dir l'àvia, amb veu tranquil·la però els ulls tristos—. No patiu per mi, estic bé.

—No ens podem quedar una mica més? —va dir en Ben.

La mare li va fer una mirada angoixada i el pare se'n va adonar.

—No, Ben, marxem, que l'àvia ha de descansar —va dir el pare, mentre s'aixecava i es preparava per anar-se'n—. Estic bastant enfeinat, mare, però intentaré venir-te a veure el cap de setmana.

Va acariciar una mica el cap a la seva mare, com si fos un gos. Era un gest maldestre, perquè el pare no era gaire afectuós.

Es va girar per marxar, la mare va fer un lleu somriure i va arrossegar en Ben pel canell cap a fora.

Aquell vespre, a la seva habitació, en Ben va ordenar tota la informació que havia recollit a l'escola al llarg de la setmana.

«Els ho demostrarem, àvia», va pensar, amb fermesa. «Ho faré per tu.» Ara que l'àvia estava malalta, estava més decidit que mai a tirar el pla endavant. Encara tenia fins a l'hora del te per planificar el robatori de joies més gran de la història.

19

Un petit aparell explosiu

L'endemà al matí, mentre el pare i la mare escoltaven cançó rere cançó per seleccionar la música per a la propera competició de ball del seu fill, en Ben es va escapolir de casa i va anar a l'hospital.

Quan finalment va trobar la sala de l'àvia, va veure que hi havia un metge amb ulleres assegut al seu llit. No obstant això, va entrar esperitat i emocionat per veure l'àvia i explicar-li el pla.

El metge li tenia la mà agafada i li parlava a poc a poc i en veu baixa.

—Deixa'ns sols, Ben, sisplau —va dir l'àvia—. El metge i jo parlem de coses de dones, saps?

—Ah, eeeh, d'acord —va dir en Ben. Va sortir per les portes giratòries i va començar a fullejar una revista horrible que va trobar a la sala d'espera.

Al cap de poc, el metge va passar pel seu costat i abans de marxar de la sala va dir:

—Em sap greu.

«Greu?», va pensar en Ben. «Per què li sap greu?»

I tot seguit va anar cap al llit de l'àvia.

L'àvia s'estava eixugant els ulls amb un mocador de paper, i quan va veure en Ben se'l va entaforar a dins de la màniga de la camisa de dormir.

—Estàs bé, àvia? —va preguntar, amb veu suau.

—Sí, estic bé. És que tinc una brossa a l'ull.

—Doncs, així, per què m'ha dit «em sap greu», abans de marxar, el metge?

L'àvia va semblar que s'atabalava per un moment.

—Eeeh, bé, m'imagino que li ha sabut greu que hagis perdut el temps venint-me a veure. Resulta que, fet i fet, no em passa res de res, noiet.

—De debò?

—Sí, el metge m'acaba de donar els resultats de les proves. Estic fresca com una rosa.

En Ben mai abans havia sentit aquella expressió, però s'imaginava que volia dir molt i molt en forma.

—Ostres, això és fantàstic, àvia! De veritat! —va exclamar en Ben—. Escolta, ja sé que em vas dir que «no»...

—No deus voler tornar a treure el tema, oi, Ben? —va preguntar l'àvia.

En Ben va assentir.

—Et vaig dir que «no» un centenar de vegades.

—Sí, però...

—Però què, jovenet?

—He trobat un punt feble a la Torre de Londres. I m'he passat tota la setmana treballant en un pla per poder robar les joies. Em sembla molt que ho podríem aconseguir.

Va quedar sorprès en veure que l'àvia es mostrava intrigada.

—Corre les cortines i abaixa la veu —va xiuxiuejar la velleta, mentre posava al màxim el volum de l'audiòfon.

En Ben va passar les cortines del voltant del llit de l'àvia i després va seure al seu costat.

—A veure, cap a mitjanit travessem el Tàmesi amb un equip de busseig i localitzem l'antiga canonada del clavegueram, aquí —va mussitar en Ben, mentre li ensenyava el diagrama detallat de l'exemplar d'*El Setmanari del Llauner*.

—Hem de nedar fins a una canonada de claveguera m?! A la meva edat? —va dir l'àvia—. No siguis ximple, noi!

—Àvia, no cridis tant! —va demanar en Ben.

—Perdona —va xiuxiuejar l'àvia.

—I no és cap ximpleria. És brillant. La canonada és prou ampla, fixa't...

L'àvia es va incorporar entre els coixins i va mirar més de prop la pàgina d'*El Setmanari del Llauner*. Va examinar el diagrama. Realment, semblava prou ampla.

—Doncs bé, si nedem fins a la canonada, podem entrar a la Torre sense ser detectats —va continuar en Ben—. Tot el perímetre de l'edifici és ple de guàrdies armats, càmeres de seguretat i sensors làser. Si escollim una altra via, no tenim cap possibilitat.

—Sí, sí, sí, però llavors, com carai arribem a la Casa de les Joies, que és on es guarden les joies? —va xiuxiuejar.

—La canonada acabava aquí, a l'escusat.

—Com dius?

—A l'escusat, àvia. És tal com abans es deia el lavabo.

—Ah, sí, és clar.

—Des de l'escusat hi ha una petita correguda...

—Ehem...

—Bé, vull dir una petita caminadeta per creuar el pati fins a la Casa de les Joies. Per descomptat, de nit la casa és tancada amb pany i forrellat.

—Ja m'ho penso! —L'àvia no semblava gaire convençuda. Bé, doncs en Ben l'hauria de convèncer!

—La porta és d'acer massís, o sigui que haurem de perforar els panys per obrir-la...

—Però Ben, segur que les corones, els ceptres i totes aquestes joies estan protegits amb un vidre antibales —va dir l'àvia.

—Ja, però el vidre no és antibombes. Hi posarem un petit aparell explosiu per esmicolar el vidre.

—Un aparell explosiu? —va balbucejar l'àvia—. I d'on carai el vols treure?

—He agafat uns quants productes del laboratori de l'escola —va respondre en Ben, amb un somriure de satisfacció—. Estic segur que puc crear un explosiu prou potent per esmicolar el vidre.

—Però els guàrdies sentiran l'explosió, Ben. No, no, no. Em sap greu, però això no funcionarà mai! —va dir l'àvia, amb la veu tan baixa com va poder.

—Ja hi he pensat, en això —va dir en Ben, momentàniament encantat amb el seu enginy—. El dia que ho fem, has d'anar en tren a Londres, a primera hora del matí, amb cara de velleta amable...

—Ja ho sóc, una velleta amable! —va protestar l'àvia.

—Ja m'entens —va continuar en Ben, amb un somriure—. Un cop a l'estació, agafes l'autobús número setanta-vuit, que va fins a la Torre de Londres. Llavors dónes als guàrdies de Beefeater un tros de pastís de xocolata en què hauràs barrejat alguna cosa que perquè s'adormin.

—Oh, fixa't, podria fer servir el tònic especial per dormir a base d'herbes! —va dir l'àvia.

—Eeeh... Sí, fantàstic —va dir en Ben—. Per tant, els guàrdies es menjaran un tall de pastís i, quan es faci fosc, es quedaran adormits com un soc.

—Pastís de xocolata? —va protestar l'àvia—. Estic segura que els guàrdies s'estimaran més un tros del meu deliciós pastís de col fet a casa.*

***Recepta de l'àvia per al PASTÍS DE COL:**

Agafeu sis cols grans i florides.

Tritureu les cols amb la batedora per fer puré de patates.

Poseu la pasta de col en una safata per anar al forn.

Deixeu-la coure fins que tota la casa faci pudor de col.

Espereu-vos un mes perquè el pastís es torni ranci.

Talleu-lo i serviu-lo (amb palangana per vomitar opcional).

—Mmm —va fer en Ben.

No volia ofendre l'àvia, però era impossible que ningú es mengés un tall del pastís de col, excepte que fos un familiar proper, i tot i així, segur que l'escopia quan ni l'àvia ni ningú no mirava.

—Crec que seria millor un pastís de xocolata del supermercat.

—Bé, sembla que has pensat en tot. Estic impressionada, de debò. La idea d'utilitzar aquesta antiga canonada és genial.

En Ben es va ruboritzar d'orgull.

—Gràcies.

—Però com te n'has assabentat? A l'escola no t'ho ensenyen, això de les canonades del clavegueram, oi?

—No —va dir en Ben—. És que... Sempre m'ha encantat la lampisteria. I vaig recordar que a la meva revista preferida parlaven de les canonades antigues. —Va alçar *El Setmanari del Llauner*—. El meu somni és ser lampista quan sigui gran.

Va abaixar la mirada, esperant que l'àvia el renyés o es burlés d'ell.

—Per què mires a terra? —va preguntar l'àvia.

—Mmm... Bé, ja sé que és una ximpleria i un avorriment, voler ser lampista. Ja sé que hauria de voler ser alguna cosa més interessant. —En Ben va notar que es posava vermell.

L'àvia li va agafar la barbeta i li va fer alçar el cap.

—Res del que tu facis pot ser ximple o avorrit, Ben —va dir—. Si vols ser lampista, si aquest és el teu somni, ningú no t'ho pot impedir. Ho entens? L'únic que pots fer a la vida és seguir els teus somnis. Si no, només perdràs el temps.

—Sí... suposo que tens raó.

—Això espero. De debò! Dius que la lampisteria és una cosa avorrida, però fixa't, estàs planejant el robatori de les joies de la Corona... Per l'amor de Déu... i tot es redueix a les canonades!

En Ben va somriure. Potser l'àvia tenia raó.

—Però t'he de fer una pregunta, Ben.

—Sí?

—Com ens escapem? Perquè un pla com aquest no serveix de res si llavors t'enxampen in fraganti, noiet.

—Ja ho sé, àvia, per això he pensat que hauríem de marxar pel mateix lloc per on hem entrat, per la canonada, i creuar de nou el Tàmesi. Només fa cinquanta metres d'amplada, i jo tinc la medalla dels cent metres nedant. Serà bufar i fer ampolles.

L'àvia es va mossegar el llavi. Evidentment no estava gens convençuda que res de tot allò fos bufar i fer ampolles, i encara menys travessar de nit i nedant un riu amb un fort corrent.

En Ben la va mirar emocionat.

—Així, què, àvia, t'hi apuntes? Encara ets una malfactora?

L'àvia es va quedar pensativa una estona, absorta en els seus pensaments.

—Sisplau... —va suplicar en Ben—. M'ha agradat tant, escoltar les teves aventures, i tinc tantes ganes de fer un robatori amb tu... A més, això seria el màxim: robar les joies de la Corona. Tu mateixa vas dir que aquest era el somni de qualsevol lladre. Què, àvia? T'hi apuntes?

L'àvia va mirar llargament el rostre resplendent del seu nét.

Al cap d'una estona, va mussitar:

—Sí.

En Ben es va aixecar de la cadira i la va abraçar.

—Perfecte!

L'àvia va alçar els braços dèbils i el va abraçar. Era la primera vegada en molts anys que l'abraçava de debò.

—Però amb una condició —va dir la velleta, amb una mirada molt seriosa.

—Quina? —va xiuxiuejar en Ben.

—Que l'endemà a la nit les tornem a lloc.

20

Bum, bum, bum!

En Ben no es podia creure el que li acabava de dir l'àvia. Era impensable que s'arrisqués a robar les joies de la Corona per tornar-les a lloc l'endemà mateix.

—Però si valen milions, àvia, potser fins i tot milers de milions... —va rondinar.

—Ja ho sé. Per això ens enxamparan si les intentem vendre —va respondre l'àvia.

—Però...

—Res de peròs, noiet. L'endemà a la nit les tornem. Saps com m'he escapat de la presó tots aquests anys? Doncs perquè mai no m'he venut res del que havia robat. Ho feia només per l'emoció que sentia.

—Però bé que te les quedaves —va dir en Ben—. Encara que no les venguessis. Tens moltes joies, a la capsa de galetes.

L'àvia va parpellejar unes quantes vegades.

—Sí, d'acord, però aleshores era jove i esbojarrada —va dir—. I amb el temps he après que no està bé robar. I tu també ho has d'entendre.

Li va clavar una mirada ferotge. En Ben es va sentir incòmode.

—Ja ho sé, àvia, és clar que ho sé...

—Ben, has traçat un pla brillant, de debò. Però aquestes joies no són nostres, oi?

—No —va dir en Ben—. No ho són.

Se sentia una mica avergonyit, ara que l'havia sorprès amb la idea de retornar les joies.

—I no oblidis que tots els policies del país, o potser de tot el món, buscaran les joies de la Corona. Tindrem tot el personal de Scotland Yard darrere nostre. Si ens descobrissin, pensa que ens tancarien a la presó per sempre més. I per a mi no seria gaire temps, però per a tu podria suposar setanta o vuitanta anys.

—Tens raó —va dir en Ben.

—A més, la reina sembla una velleta encantadora. De fet, tenim més o menys la mateixa edat. No m'agradaria gens molestar-la.

—A mi tampoc —va mussitar en Ben.

Havia vist la reina als telenotícies un munt de vegades, i semblava una velleta d'allò més agradable, somrient i saludant tothom des de dins del seu enorme cotxe.

—Fem-ho només per l'emoció, d'acord?

—D'acord! —va dir en Ben—. Quan podem fer-ho? Hauria de ser un divendres a la nit, que és quan el pare i la mare em porten a casa teva. T'ha dit quan et deixaran marxar, el metge?

—Eeeh, sí, i tant, m'ha dit que puc marxar quan vulgui.

—Fantàstic!

—Però ho hem de fer de seguida. Què et sembla divendres que ve?

—Tan aviat?

—No ho és tant, el teu pla està molt ben pensat, Ben.

—Gràcies —va dir en Ben, somrient. Era la primera vegada que notava que una persona adulta se sentia orgullosa d'ell.

—Quan surti d'aquí aniré a buscar l'equipament que necessitem. I ara vés-te'n, Ben. Ja ens veurem divendres vinent a l'hora habitual.

En Ben va obrir la cortina i es va trobar el veí tafaner, el senyor Parker, palplantat allà!

En Ben va fer dos passos enrere, sobresaltat, i es va ficar l'exemplar d'*El Setmanari del Llauner* a dins del jersei.

—Què hi fa vostè, aquí? —va preguntar en Ben.

—Segur que s'espera per espiar mentre em banyen al llit! —va dir l'àvia.

En Ben va riure.

El senyor Parker buscava les paraules.

—No, no, jo...

—Infermera! INFERMERA! —va xisclar l'àvia.

—Un moment! —va dir el senyor Parker, espantat—. Estic segur que he sentit que algú de vosaltres parlava de les joies de la Corona...

Massa tard. La infermera, que era una dona inusualment alta i amb els peus molt llargs, s'acostava de pressa per la sala.

—Sí? —va dir la infermera—. Que passa res?

—Aquest home m'estava espiant a través de les cortines! —va dir l'àvia.

—És veritat, això? —va preguntar la infermera, amb la mirada clavada al senyor Parker.

—Bé, jo he sentit que... —va balbucejar el senyor Parker.

—La setmana passada va espiar l'àvia mentre feia una sessió de ioga despullada —va dir en Ben.

La infermera es va ruboritzar, plena d'horror.

—Fora de la meva sala, porc fastigós! —va cridar.

Humiliat, el senyor Parker es va girar i va marxar apressat de la sala. Abans de travessar les portes giratòries, però, es va girar i va cridar a l'àvia i a en Ben:

—AIXÒ NO S'ACABA AQUÍ! —I tot seguit se'n va anar.

—Sisplau, digueu-m'ho, si aquest home torna —va dir la infermera, mentre la cara li recuperava el color normal.

—D'acord —va respondre l'àvia, abans que la infermera se n'anés a fer altres feines.

—Potser ho ha sentit tot! —va mussitar en Ben.

—Potser —va dir l'àvia—. Però em sembla que la infermera l'ha espantat definitivament!

—Això espero.

En Ben estava amoïnat per aquell incident tan desafortunat.

—Encara ho vols tirar endavant? —va preguntar l'àvia.

En Ben tenia la mateixa sensació que quan ets en una muntanya russa i comença a pujar lentament per la via. Vols baixar-ne i al mateix temps t'hi vols quedar.

Por i emoció se li barrejaven.

—Sí! —va dir.

—Hurra! —va exclamar l'àvia, i li va fer un gran somriure.

En Ben es va disposar a marxar, però es va girar cap a l'àvia.

—Jo... T'estimo, àvia —va dir.

—Jo també, Benny —va dir l'àvia, mentre li picava l'ullet.

En Ben va fer una ganyota. Ara tenia una àvia malfactora, i era fantàstic... però li hauria d'ensenyar a dir-li Ben a seques!

En Ben va recórrer els passadissos amb el cor desbocat. Bum, bum, bum.

Estava electrificat d'emoció. Aquest nen d'onze anys, que no havia fet mai res destacable, excepte vomitar sobre el cap del seu amic a la sínia del parc d'atraccions del poble, participaria en el robatori més audaç que el món hagués vist mai.

Va sortir corrent de l'hospital i es va furgar la butxaca per agafar les claus de la cadena de la bici. Llavors va alçar la vista i va veure una cosa increïble.

Era l'àvia.

Bé, això en si no era increïble.

Però també va veure això:

L'àvia baixava fent ràpel per la paret de l'hospital.

Havia lligat uns quants llençols i baixava amb rapidesa per la paret de l'edifici.

En Ben no s'ho podia creure. Sabia que l'àvia era una malfactora de debò, però això era massa!

—Àvia, però què carai fas?! —va cridar en Ben des de l'aparcament.

—És que l'ascensor no funcionava, rei! Ens veurem divendres. I sigues puntual! —va cridar, quan ja arribava a terra, pujava a l'escúter i se n'anava fent brunzir el motor...

Mai una setmana no havia passat tan a poc a poc.

En Ben es va passar tots els dies esperant que arribés divendres a la nit. Cada minut, cada hora, cada dia semblava una eternitat.

Se li feia estrany haver de fingir que era un nen com qualsevol altre, quan en realitat era una de les grans ments criminals de tots els temps.

Finalment, va arribar divendres. Es va sentir un truc a la porta de l'habitació d'en Ben.

Toc, toc, toc.

—Estàs a punt, fill? —va preguntar el pare.

—Sí —va dir en Ben, intentant semblar tan innocent com podia, cosa que es fa molt difícil quan et sents extremament culpable—. Demà al matí no cal que em vingueu a recollir tan d'hora, perquè amb l'àvia juguem a l'Scrabble fins bastant tard.

—Aquesta vegada no jugaràs a l'Scrabble, Ben —va dir el pare.

—Ah, no?

—No. És que avui al vespre no aniràs a casa l'àvia.

—Ostres! —va dir en Ben—. Que torna a ser a l'hospital?

—No.

En Ben va sospirar alleujat, però de seguida va notar una fiblada d'ansietat.

—Així, per què no hi vaig?

El pla estava a punt, no hi havia ni un minut per perdre!

—Perquè aquesta nit se celebra el campionat de ball per a menors de dotze anys —va dir el pare—. Per fi, ha arribat el moment de lluir-te!

21

Una sabata de claqué

En Ben va seure en silenci al darrere del petit cotxe marró amb el seu encantador vestit de la bomba d'amor.

—Suposo que no t'havies oblidat de la competició, Ben —va dir la mare, mentre s'arreglava el maquillatge al seient de l'acompanyant. El pintallavis se li va escampar accidentalment per tota la cara quan van girar en una cantonada.

—No, és clar que no, mare.

—No pateixis, Ben —va continuar el pare, que acompanyava tot cofoi el seu fill a la immortalitat d'una competició de ball—. T'has entrenat molt a l'habitació, sé que trauràs la màxima puntuació de tots els jutges. Tot deus!

—I l'àvia? No m'esperarà? —va preguntar en Ben, angoixat.

Aquesta nit se suposava que era la nit del robatori de les joies de la Corona, i en canvi, anava de camí cap a una competició de ball, tot i no haver fet ni un pas de ball en tota la seva vida.

Durant les dues últimes setmanes, havia evitat pensar en la competició, però finalment havia arribat el moment.

Allò estava a punt de passar.

Hauria de fer un número de ball en solitari.

Un ball que no havia preparat.

Davant d'un teatre ple de gent...

—Ah, no t'amoïnis per l'àvia —va dir la mare—. Si no sap ni quin dia vivim! —Va riure just quan el pare frenava en sec davant d'un semàfor vermell i tot el rímel se li va escampar pel front.

Van arribar a l'ajuntament. En Ben va veure una riuada de licra multicolor que entrava a l'edifici.

Si algú de l'escola s'assabentava que ell s'hi havia inscrit, no ho superaria mai. Els malcarats de la classe tindrien la munició suficient per fer-li la vida impossible per sempre més. I a sobre, no havia assajat cap ball. Ni una sola vegada. No tenia ni idea del que faria dalt de l'escenari.

Aquesta competició era per seleccionar els millors ballarins júnior de la zona. Hi havia un premi per a la millor parella, per al millor solo femení i per al millor solo masculí.

Si guanyaves, tenies l'oportunitat de competir en l'àmbit provincial, i si guanyaves, en l'estatal.

Aquest era el primer pas en el camí cap a la fama com a ballarí internacional. I l'amfitrió de la nit era ni més ni menys que el galant de *Senzillament estrelles del ball* i ballarí preferit de la mare, en Flavio Flavioli.

—És meravellós veure tantes senyores guapes aquesta nit —va parrupejar amb accent italià.

En Flavio es veia encara més brillant al natural. Duia els cabells clenxinats cap enrere, tenia les dents d'un blanc enlluernador i el vestit li anava tan estret com si fos de paper film.

—I ara, estem preparats per a la rumba?

La multitud va cridar:

—Sí!

—En Flavio no us ha sentit! He dit si esteu preparats per a la rumba!

—SÍ! —va cridar tothom de nou, una mica més fort que abans.

En Ben escoltava molt nerviós des del darrere de l'escenari. Va sentir una veu de dona que xisclava: «T'estimo, Flavio!». S'assemblava sospitosament a la veu de la mare.

En Ben va donar una ullada al vestidor. Posats a fer, podria haver sigut una convenció dels nens més repel·lents del món. Tenien un aspecte insuportablement precoç, adornats amb aquells vestits de licra ridículament cridaners, untats de bronzejador artificial i amb unes dents tan blanques i brillants que es podien veure des de l'espai exterior.

En Ben va mirar el rellotge, angoixat, conscient que arribaria tardíssim a casa de l'àvia. Va esperar mentre aquells mamarratxos excessivament maquillats ballaven el quickstep, el jive, el vals, el vals vienès, el tango, el foxtrot i el txa-txa-txa.

I finalment, va arribar el torn d'en Ben. Es va aixecar entre bastidors mentre en Flavio l'anunciava:

—I ara li toca el torn a un noi que ens delectarà amb una peça de ball en solitari. Sisplau, donem la benvinguda a en Ben!

En Flavio va sortir de l'escenari i en Ben hi va entrar. Els pantalons de la bomba d'amor de licra li pujaven incòmodament de darrere el cul.

En Ben es va quedar tot sol al mig de la pista de ball. Un focus l'il·luminava. Va començar a sonar la música. Resava per trobar alguna manera d'escapar-se d'allà. Hauria estat content amb qualsevol cosa, per exemple:

Una alarma contra incendis.

Un terratrèmol.

La Tercera Guerra Mundial.

Una altra edat de gel.

Un eixam grandiós d'abelles.

Un meteorit de l'espai que col·lidís contra la terra i en fes alterar l'eix de rotació.

Un sisme submarí.

En Flavio Flavioli atacat per centenars de zombis carnívors.

Un huracà o un tornado (en Ben no en sabia prou bé la diferència, però qualsevol dels dos li hauria anat perfectament bé).

En Ben segrestat per uns extraterrestres i no tornar a la terra fins passats mil anys.

Que els dinosaures tornessin a la terra per alguna mena de portal espai/temps, aixafessin el sostre i devoressin tothom.

Una erupció volcànica, encara que no en recordava cap per allà a prop.

Un atac de llimacs gegants.

Fins i tot un atac de llimacs mitjans faria el fet.

En Ben no era gaire exigent. Qualsevol de les opcions anteriors li hauria anat bé. La música va sonar una estona i en Ben es va adonar que encara no s'havia mogut gens. Va mirar els seus pares, que somreien orgullosos de veure finalment el seu únic fill al centre de l'escenari.

Va mirar cap als bastidors, on el sempre somrient Flavio li feia un somriure encoratjador.

«Sisplau, que el terra s'obri pel mig ara mateix...»

Però no va passar res.

No tenia cap altra opció que fer alguna cosa. El que fos. En Ben va començar a moure les cames, després els braços i després el cap. Aquestes tres parts del seu cos no seguien cap mena de ritme ni seqüència, i durant els següents cinc minuts es va moure per la pista de ball amb un estil que només es pot qualificar d'inoblidable: per molt que vulguis oblidar-ho, no pots.

Al final, en Ben va provar de fer un salt, just quan la música es va aturar, i va caure a terra amb un soroll sord. Es va fer silenci. Un silenci ensordidor.

Tot seguit en Ben va sentir que algú picava de mans. Va alçar la vista.

Era la mare.

Després s'hi va unir un altre parell de mans.

Era el pare.

Durant uns instants, va pensar que seria un d'aquells moments que veus a les pel·lícules, quan el perdedor triomfa contra tot pronòstic; que tots els presents a la sala s'aixecarien i començarien a aplaudir i a ovacionar aquell noi que finalment havia fet sentir orgullosos els seus pares i al mateix temps havia reinventat el ball per sempre.

Fi.

Doncs bé, no. Això no és el que va passar.

Al cap d'uns instants, els seus pares es van avergonyir de ser els únics que aplaudien i van parar.

En Flavio va tornar a l'escenari.

—Bé, això ha estat, ha estat... —Per primera vegada a la vida, el galant italià s'havia quedat sense paraules—. Jutges, podem disposar de la puntuació per a en Ben, sisplau?

—Zero —va dir el primer.

—Zero.

—Zero.

Només faltava un jutge per dir el veredicte. Era possible que en Ben aconseguís quatre zeros?

Però l'última jutgessa devia sentir llàstima per aquell nen entresuat que tenia al davant i que, amb aquella èpica demostració de poc talent, acabava d'avergonyir la seva família per generacions. La dona va remoure els cartells de la puntuació a sota la taula.

—U —va anunciar.

El públic la va escridassar i de seguida va corregir la puntuació:

—Perdó, volia dir zero —va dir, alçant el primer cartell que havia triat.

—Bé, la puntuació és una mica decebedora, noi —va dir en Flavio, fent un esforç per somriure—. Els jutges no han estat gaire compassius. Però pensa, Ben, que no està tot perdut. Com que ets l'únic noi que s'ha inscrit en la categoria de solo masculí, n'ets el guanyador. I per tant, igualment tinc el plaer d'oferir-te aquesta estatueta de plàstic massís.

En Flavio va agafar un trofeu d'aspecte barat que representava un nen ballant i el va donar a en Ben.

—Senyores i senyors, nois i noies, un fort aplaudiment per a en Ben!

Silenci de nou. Ni tan sols el pare i la mare es van atrevir a aplaudir.

Tot seguit van començar les esbroncades i les escridassades.

—Quina vergonya!

—Que el facin fora!

—Aquest concurs està venut!

El somriure perfecte d'en Flavio es va començar a esvair. Es va inclinar cap a en Ben i li va xiuxiuejar a cau d'orella:

—Val més que te'n vagis d'aquí abans que et linxin.

En aquell precís instant algú del públic des de la part del darrere de la sala va llançar una sabata de claqué que va travessar l'aire amb la velocitat d'un projectil. Segurament devia anar dirigida a en Ben, però l'atzar va voler que anés a parar just a l'entrecella d'en Flavio, que va caure a terra estabornit.

«Més val que toqui els dos sense dir ni piu», va pensar en Ben.

22

Grup de linxament de licra

Un grup enfurismat d'entusiastes dels balls de saló va perseguir el petit cotxe marró quan fugia carrer avall. En Ben va mirar per la finestra i va pensar que potser aquella devia ser l'única vegada a la història que un grup de linxament anava completament vestit de licra.

El pare va clavar el peu a l'accelerador.

BRRRRRRRRUUUUUUUUUUUUUU MMMMMMMMMMM!

...I, en girar a la cantonada, els van perdre de vista.

—Gràcies a Déu que jo era allà per fer-li un

petó a en Flavio i tornar-lo a la vida! —va dir la mare, des del seient del davant.

—Només estava inconscient, mare. No ha deixat de respirar —va dir en Ben, des del seient del darrere.

—Les precaucions sempre són poques —va dir la mare, mentre es tornava a posar pintallavis. El que s'havia posat abans ara estava escampat per la cara i el coll d'en Flavio.

—La teva actuació ha estat, en una paraula, espantosa i vergonyosa —va dir el pare.

—Això són dues paraules —va corregir en Ben, amb una rialleta—. Tres, si comptem la «i».

—No et facis el graciós amb mi, nano —va etzibar el pare—. Això no fa riure. M'he avergonyit molt de tu. Moltíssim.

—Sí, ha sigut vergonyós —va grunyir la mare.

En Ben hauria donat qualsevol cosa per desaparèixer. Hauria donat tot el seu passat i tot el seu futur per no haver d'estar en aquell moment assegut al seient del darrere del cotxe dels pares.

—Em sap greu, mare —va dir en Ben—. Jo només us vull fer sentir orgullosos, de debò.

I era veritat: fer sentir avergonyits els seus pares era definitivament l'últim que desitjava, per molt ximplets que de vegades els considerés.

—Caram, doncs tens una manera molt curiosa de demostrar-ho —va dir la mare.

—Simplement és que no m'agrada ballar.

—No es tracta d'això. La teva mare s'ha passat hores cosint-te el vestit —va dir el pare.

És estrany la manera com els pares sempre es refereixen, entre ells, com a «mare» i «pare», en comptes de «mama» i «papa», quan et fiques en algun embolic.

—No has fet ni un esforç, a l'escenari —va continuar el pare—. No crec que hagis assajat ni una sola vegada. Ni una. Resulta que jo i la teva mare hem treballat nit i dia perquè tinguessis les oportunitats que nosaltres mai no vam tenir, i així és com ens ho pagues...

—Amb menyspreu —va dir la mare.

—Menyspreu —va fer d'eco el pare.

A en Ben li va baixar una llàgrima per la galta. La va aturar amb la llengua. Era amarga. Tots tres van quedar en silenci durant l'estona del camí fins a casa.

Tampoc es van dir res quan van sortir del cotxe i quan van entrar a casa. Tan bon punt el pare va obrir la porta, en Ben va pujar esperitat cap a l'habitació i va tancar la porta. Va seure al llit, encara amb el vestit de la bomba d'amor.

En Ben no s'havia sentit mai tan sol. Havia fet tard amb l'àvia, perquè havien quedat feia hores. No només havia decebut la mare i el pare, sinó que també havia decebut la persona que havia après a estimar més que ningú: l'àvia.

Ara ja no robarien les joies de la Corona.

Just en aquell moment, va sentir un copet a la finestra.

Era l'àvia.

Amb el vestit de busseig, l'àvia s'havia enfilat a l'escala per arribar fins a la finestra de l'habitació del nét.

—Deixa'm entrar! —va gesticular teatralment.

En Ben no va poder evitar somriure. Va obrir la finestra i va ajudar l'àvia a entrar, com un pescador estirant un peix gros cap a dins de la barca.

—Vas molt tard, noiet —el va renyar l'àvia, mentre en Ben l'ajudava a passar per sobre el llit.

—Ja ho sé, ho sento —va dir en Ben.

—Vam dir a les set. Són dos quarts d'onze. El tònic de la son que he donat als guàrdies de la Torre aviat deixarà de fer efecte.

—Em sap molt de greu, de debò. És una llarga història —va dir en Ben.

L'àvia va seure al llit d'en Ben i el va mirar de dalt a baix.

—Com és que vas vestit com una targeta beneita del dia de Sant Valentí? —va preguntar.

—Ja t'he dit que és una llarga història...

Era una mica absurd que l'àvia critiqués el vestit d'en Ben tenint en compte que ella anava amb l'equip de busseig, inclosa la màscara, però ara no hi havia temps per discutir allò.

—Ràpid, noiet, posa't aquest vestit i segueix-me per l'escala. Vaig a engegar l'escúter.

—De debò que anem a robar les joies de la Corona, àvia?

—Bé, de moment anem a donar una volta! —va dir la velleta, amb un somriure.

23

Enxampats per la bòfia

Van travessar la ciutat brunzint: l'àvia conduïa i en Ben se li aferrava a l'esquena. Tots dos anaven amb vestit i màscara de busseig, i la bossa de l'àvia embolicada amb metres i metres de paper film col·locada al cistellet del davant.

L'àvia va veure que en Raj tancava el quiosc.

—Hola, Raj, maco, no t'oblidis de guardar-me caramels de menta per a dilluns! —va cridar.

En Raj els va mirar i es va quedar amb la boca oberta de la sorpresa.

—No sé què li deu passar, perquè normalment és tan xerraire!

Hi havia un bon tros fins a Londres, especialment amb una escúter que podia anar a una velocitat màxima de cinc quilòmetres per hora (amb dos passatgers).

Al cap d'una estona, en Ben es va adonar que la carretera s'eixamplava: dos carrils, tres carrils...

—Llamps i trons! Si som a l'autopista! —va cridar en Ben des del darrere, mentre els avançaven a tot drap els camions de gran tonatge i gairebé els enviaven fora de la calçada amb la força de l'aire que desplaçaven.

—Escolta, noiet, no hauries de dir paraules tan gruixudes, sense més ni més —va dir l'àvia—. Ara clavaré el peu al gas, o sigui que agafa't fort!

Al cap d'un moment, un camió cisterna carregat de petroli, especialment gran, va passar retronant pel seu costat, a centímetres dels seus caps, i els va tocar la botzina.

—Rellamps i retrons! —va dir l'àvia.

—Àvia! —va cridar en Ben, espantat.

—Ep! Aquest ha passat a tocar! —va dir l'àvia.

Els adults mai no prediquen amb l'exemple.

—Em sap greu, àvia, però no crec que aquesta cosa estigui pensada per anar per l'autopista —va dir en Ben. Just en aquell moment, els va passar pel costat un camió encara més gran. En Ben va notar que les rodes de l'escúter sortien de la carretera uns instants, mentre l'estirada del vent els arrossegava descontroladament.

—Agafaré la propera sortida —va dir l'àvia. Però abans de tenir-ne l'oportunitat, uns llums blaus i intermitents van començar a girar darrere seu.

—Ostres, no, és la policia! A veure si podem córrer més que ells.

Va prémer fort l'accelerador i l'escúter va passar de cinc quilòmetres per hora a cinc quilòmetres i mig per hora.

Tenien el cotxe de la policia al costat i l'agent els feia gestos tot enfurismat perquè s'aturessin a la calçada.

—Àvia, val més que t'aturis —va dir en Ben—. No hi podem fer res.

—Deixa'm que me'n cuidi jo d'això, jovenet.

L'àvia va aturar l'escúter al voral i la policia va aparcar davant d'ells, bloquejant-los qualsevol via d'escapada. Era un cotxe gran, i empetitia l'escúter com qualsevol persona alta empetiteix... bé, un nan.

—És seu aquest vehicle, senyora? —va preguntar l'agent de policia. Era gras i duia un petit bigoti que li feia la cara encara més rodona. També tenia una expressió presumptuosa que suggeria que reprendre la gent era el que li agradava més del món. O potser era la segona cosa que preferia, després dels dònuts. L'etiqueta deia que l'anomenaven agent de policia Fudge.

—Que hi ha algun problema, agent? —va dir l'àvia, amb innocència. Tenia tota la màscara entelada de l'emoció.

—Sí, hi ha un problema. L'ús d'escúters a l'autopista està absolutament prohibit —va dir el policia en to condescendent.

(Els altres mitjans de transport no permesos a l'autopista són:

Monopatí

Canoa

Patins

Ruc

Carro del súper

Monocicle

Trineu

Rickshaw

Camell

Catifa màgica

Estruç.)

—Caram, gràcies per la informació, agent. Ho tindrem en compte per a la propera vegada. I ara, si ens perdona, anem una mica justos de temps. Adéu! —va dir l'àvia, tota contenta, tornant a engegar el motor de l'escúter.

—Que ha begut, senyora?

—M'he pres una mica de caldo de col abans de sortir de casa.

—Alcohol, vull dir —va dir el policia, desesperat.

—Dimarts al vespre em vaig prendre una copeta de brandi amb licor de xocolata. Compta, això?

En Ben es va posar a riure.

L'agent de policia Fudge va aprimar els ulls.

—Bé, doncs potser seria tan amable d'explicar-me per què va vestida amb equipament de busseig i per què vostè duu la bossa embolicada amb paper film.

Això seria llarg d'explicar.

—Perquè, perquè, eeeh... —L'àvia s'encallava i no li sortien les paraules.

Allò era el final.

—Perquè som de la Societat d'Avaluació del Paper Film —va dir en Ben, amb convenciment.

—No n'he sentit mai a parlar, d'això! —va dir l'agent, amb menyspreu.

—És que és una associació nova —va dir en Ben.

—Sí, per ara només té dos membres —va afegir l'àvia, continuant la mentida—. I ens agradaria mantenir prou en secret aquesta societat, de manera que fem les reunions a sota l'aigua i per això portem aquests vestits.

El policia semblava completament desconcertat. L'àvia no parava de parlar, suposadament amb l'esperança de desconcertar-lo encara més.

—I ara, si ens perdona, tenim força pressa. Hem d'anar a Londres per fer una reunió molt important amb la Societat d'Avaluació del Paper de Bombolles. Estem parlant de fusionar les dues organitzacions.

L'agent de policia Fudge s'havia quedat absolutament sense paraules.

—I quants membres té?

—Només un —va dir l'àvia—. Però si unim forces, podem estalviar diners en les bossetes del te, les fotocòpies, els clips i coses així. Adéu!

L'àvia va prémer el pedal de l'accelerador i l'escúter va arrancar.

—ATURI'S ARA MATEIX! —va dir l'agent de policia Fudge, sostenint la mà grassoneta recta endavant.

En Ben es va quedar petrificat de por. No tenia ni onze anys i es passaria la resta de la vida a la presó.

L'agent de policia Fudge es va inclinar per enganxar la cara a la de l'àvia.

—Els portaré amb cotxe.

24

Aigües fosques

—Aquí mateix, sisplau —va dir l'àvia, que donava instruccions des del seient del darrere del cotxe de policia—. Just a l'altra banda de la Torre. Moltes gràcies.

L'Agent de policia Fudge va haver de fer un gran esforç per descarregar l'escúter del portaequipatge.

—Bé, doncs, la propera vegada recordi que les escúters només poden circular per carrers, no per carreteres, i per descomptat, encara menys per l'autopista.

—Sí, agent —va dir l'àvia, amb un somriure.

—Bona sort, amb tot això... eeeh... de l'aliança de paper film i paper de bombolles...

Dit això, l'agent de policia Fudge va accelerar i va desaparèixer en la nit, i va deixar l'àvia i en Ben contemplant la magnificència de la mil·lenària Torre de Londres, a l'altra riba del riu. Feia una nit particularment espectacular, les quatre torres amb cúpula estaven il·luminades i el reflex brillava a les fredes i fosques aigües del riu Tàmesi.

Antigament, la Torre era una presó, i comptava amb una llista d'expresoners il·lustres (entre els quals constava la futura reina Elisabet I, l'aventurer sir Walter Raleigh, el terrorista Guy Fawkes, el nazi jubilat Rudolf Hess, els Jedward).*

Ara, la Torre és un museu que alberga les valuosíssimes joies de la Corona, allotjades en un edifici especial, la Casa de les Joies.

* Això últim és una mentida, però ho he posat perquè m'agradaria veure els Jedward tancats per sempre més a la Torre de Londres per crims contra la música.

L'estranya parella de malfactors es va quedar dreta a la vora del riu.

—Estàs preparat? —va preguntar l'àvia, amb la màscara completament entelada d'haver-se passat més d'una hora tancada al cotxe de policia.

—Sí —va dir en Ben, tremolant d'emoció—. Estic preparat.

L'àvia va agafar la mà a en Ben i va comptar:

—Tres, dos, un... —I amb l'un van submergir-se a les fosques aigües del riu.

Van trobar l'aigua glaçada malgrat el vestit de busseig, i durant uns instants en Ben només va veure negror. Era aterrador i excitant al mateix temps.

Quan van treure el cap a la superfície, en Ben es va treure un moment el tub de la boca.

—Estàs bé, àvia?

—Mai no m'he sentit més viva.

Van començar a travessar el riu nedant com gossets. En Ben mai no havia sigut un bon nedador, i es va quedar una mica endarrerit. Secretament, va desitjar haver-se posat els braçals, o si més no haver dut un matalàs inflable.

Un enorme creuer de festa, amb la música a tot volum i joves cridant, pujava pel riu esbufegant. L'àvia s'havia avançat i en Ben la va perdre de vista.

«Ostres, no!»

Que l'havia aixafat el creuer?

Que potser havia anat a parar a una tomba sota l'aigua al fons del Tàmesi?

—Au, vinga, tortuga! —va cridar l'àvia, un cop va haver passat el creuer i es van tornar a veure en la distància. En Ben va sospirar alleujat i va continuar nedant per les aigües profundes, brutes i fosques del riu.

Segons el diagrama d'*El Setmanari del Llauner*, la canonada d'aigües residuals estava situada just a l'esquerra de la porta dels Traïdors. Era una entrada a la Torre només accessible des del riu, per on havien passat molts presoners abans de ser captu-

rats i abans de passar-se la resta de la vida tancats o de morir decapitats. Actualment, la porta dels Traïdors estava tapiada, de manera que la canonada era l'única via cap a la Torre des del riu.

I llavors, amb un gran alleujament, en Ben va trobar la canonada. Estava parcialment submergida a sota l'aigua. Era fosca i misteriosa, i se sentia l'eco de les onades d'aigua que hi reverberaven a dins.

De sobte, en Ben va començar a tenir dubtes sobre aquella aventura. Tot i que li encantava la lampisteria, no li feia gaire gràcia grimpar per una antiga canonada de claveguera̲m.

—Va, Ben —va dir l'àvia, que anava entrant a la superfície de l'aigua i sortint-ne—. No hem arribat fins aquí per rendir-nos, ara.

«Bé», va pensar en Ben. «Si una velleta ho pot fer, jo per descomptat, també.»

En Ben va respirar fondo i es va impulsar cap dins de la canonada. L'àvia el seguia de prop.

Allà dins era més negre que el carbó. Al cap d'uns quants metres, va notar que alguna cosa se li arrossegava pel cap. Va sentir un iic-iic i va notar com si li gratessin el cap.

Semblaven urpes.

Es va posar la mà al cap.

Va tocar una cosa grossa i peluda.

I llavors es va adonar de la trista realitat.

ERA UNA RATA!

Tenia una rata gegant asseguda al cap.

—AAAAAAHHHHHH!

—va cridar en Ben.

25

Fantasmes pertot arreu

El crit d'en Ben va ressonar amb un fort eco per tota la canonada. Va donar un cop a la rata per treure-se-la del cap i va anar a parar a sobre l'àvia, que grimpava per la canonada just al seu darrere.

—Pobra rateta —va dir—. Sigues amable amb ella, noiet.

—Però...

—Ella hi era abans aquí. Va, afanyem-nos. Els efectes del tònic per dormir que he posat al pastís de xocolata dels guàrdies deuen estar a punt de desaparèixer.

Van pujar un tros més per la canonada. Estava tot humit i relliscós, i feia una pudor espantosa.

(Malauradament per a en Ben i l'àvia, resulta que la caca antiga continua fent pudor.)

Al cap d'una estona, en Ben va veure un raig de color gris enmig de la foscor. Era el final del túnel, per fi!

Va sortir de la canonada i va anar a parar a l'antiga latrina de pedra. Després va allargar la mà per ajudar l'àvia a fer l'última grimpada. Estaven coberts de cap a peus d'una fastigosa capa de fang llefiscós i negre.

Dret a dins d'aquella fosca i freda latrina, en Ben va veure una finestra sense vidre a la paret. S'hi van enfilar, van saltar i van anar a parar sobre l'herba humida i freda del pati de la Torre.

Van quedar-se uns instants estirats a terra, contemplant la lluna i les estrelles. En Ben va allargar el braç per agafar la mà de l'àvia. Ella l'hi va estrènyer fort.

—Això és impressionant —va dir en Ben.

—Va, rei —va xiuxiuejar l'àvia—. Que com aquell qui diu encara no hem començat la feina!

En Ben es va aixecar i va ajudar l'àvia a alçar-se de terra. Tot seguit, l'àvia va desembolicar la bossa que havia protegit amb paper film.

Va trigar una estona a treure tot l'embolcall de plàstic.

—Em sembla que m'he passat amb el paper film. Però bé, val més assegurar-se'n que no pas fer un desastre.

Finalment, va acabar de desembolicar el paper film d'un quilòmetre de llargada, i l'àvia va poder treure un mapa que en Ben havia retallat d'un llibre de la biblioteca de l'escola. D'aquesta manera, l'estranya parella de lladres podria ubicar la Casa de les Joies.

Era una mica inquietant ser al pati de la Torre de Londres en plena nit.

Es diu que la Torre està plena pertot arreu de fantasmes de la gent que hi va morir. Al llarg dels anys, diversos guàrdies han fugit corrent de por, tot assegurant que en plena nit han vist fantasmes de diversos personatges històrics que van morir a la Torre.

Ara, en canvi, hi havia una cosa encara més estranya que un fantasma voltant pel pati.

L'àvia amb un vestit de neoprè!

—Per aquí —va xiuxiuejar l'àvia, i en Ben la va seguir per un passadís flanquejat per murs.

A en Ben li bategava el cor tan ràpid que li feia la sensació que li explotaria.

Al cap de poc estaven al davant de la Casa de les Joies, que donava a la Torre Verda i al monument als que van ser decapitats i penjats a la Torre. En Ben es va preguntar si ell i l'àvia serien executats, si els enxampaven robant les joies de la Corona, i un calfred li va recórrer l'espinada.

Van veure dos guàrdies ajaguts a terra que roncaven sorollosament. Els immaculats uniformes negres i vermells amb les inicials «ER» brodades es

començaven a embrutar sobre el terra humit. El tònic per dormir a base d'herbes que l'àvia els havia ficat al pastís de xocolata havia funcionat.

Però quanta estona els faria efecte?

En passar pel costat, l'àvia va fer un d'aquells seus sorolls de clacada d'ànec. Un dels guàrdies va arrufar el nas per la pudor.

En Ben es va aguantar la respiració, no només per la pudor, sinó perquè tenia molta por.

A veure si el pet de l'àvia els despertava i ho engegava tot a rodar.

Va passar un moment etern...

Llavors el guàrdia va obrir un ull.

«Ostres, no!»

L'àvia va empènyer en Ben i va alçar la bossa, com si es disposés a donar-li un cop al Beefeater.

«Ai!» va pensar en Ben. «Ara sí que ens penjaran!»

Però el guàrdia va tornar a tancar l'ull i va continuar roncant.

—Àvia, sisplau, intenta controlar el cul —va xiuxiuejar en Ben.

—No he fet res, jo —va dir l'àvia, amb veu innocent—. Deus haver sigut tu.

Van anar de puntetes fins a l'enorme porta d'acer de la Casa de les Joies.

—Molt bé, ara necessito el trepant del teu pare... —va dir l'àvia, mentre furgava a dins de la bossa. Va començar a perforar tots els panys de la porta amb un brunzit que ho feia vibrar tot.

De sobte, els guàrdies van roncar molt fort.

—ZZZZZZZZZZZzzzzzzzzz!

En Ben es va quedar petrificat i a l'àvia gairebé li cau el trepant. Però els guàrdies van continuar dormint i, al cap d'uns minuts exasperants, finalment la porta es va desbloquejar.

L'àvia semblava esgotada. Li baixava la suor pel front. Va seure un moment en un mur baix que hi havia allà al costat i va treure un termos de la bossa.

—Vols caldo de col? —va oferir.

—No, gràcies, àvia —va respondre en Ben. Es va moure, inquiet—. Val més que continuem abans que els guàrdies es despertin.

—Presses, presses, presses... És l'únic que teniu els nens d'avui dia. La paciència és una virtut.

Va beure l'últim glop de caldo de col i es va aixecar.

—Deliciós! Va, som-hi! —va dir.

La porta d'acer va cruixir en obrir-se, i l'àvia i en Ben van entrar a la Casa de les Joies.

Enmig de la foscor, se'ls va acostar una ràfega de plomes negres que els van colpejar la cara. En Ben es va espantar tant que va tornar a cridar.

—Calla! —va fer l'àvia.

—Què és això? —va preguntar en Ben, mentre observava les criatures alades que desapareixien en el cel negre—. Ratpenats?

—No, rei, són corbs. N'hi ha dotzenes aquí. Els corbs han viscut a la Torre durant segles.

—Aquest lloc és esgarrifós —va dir en Ben, amb un nus a l'estómac.

—Especialment de nit. No et separis de mi, noiet, el pitjor encara ha de venir.

26

Una figura en la foscor

Davant seu, tenien un passadís llarg i sinuós.

Era el lloc on els turistes d'arreu del món feien cua per veure les joies de la Corona. La velleta i el seu nét van avançar de puntetes i en silenci, regalimant aigua freda i pudent del Tàmesi pel camí.

Finalment van girar en una cantonada i van entrar a la sala principal, on es guardaven les joies. De la mateixa manera que el sol treu el nas entre els núvols en un dia gris, les joies van il·luminar les cares d'en Ben i de l'àvia.

La parella de lladres es va aturar, esglaiada. Van quedar bocabadats, mirant tots els tresors que tenien exposats al davant. Eren més esplèndids que el que ningú es pogués imaginar. Certament, era la col·lecció més superba d'objectes preciosos del món.

Estimats lectors, no només eren precioses i inestimables, sinó que simbolitzaven centenars d'anys d'història. Hi havia unes quantes corones reials:

- La corona de Sant Eduard, amb la qual el nou rei o reina és coronat per l'arquebisbe de Canterbury durant la cerimònia de coronació. Està feta d'or i decorada amb safirs i topazis. I realment brilla!
- La corona de l'Estat imperial, en la qual hi ha encastades tres mil gemmes d'una bellesa increïble, entre les quals la Segona Estrella d'Àfrica (la segona pedra més gran del món tallada del diamant més gran que s'ha trobat mai. I no, no sé on és, la Primera Estrella).

- L'espectacular corona imperial de l'Índia, amb uns sis mil diamants encastats i també magnífics robins i maragdes. Malauradament, no era de la meva talla.
- La Cullera d'Unció, una cullera d'or del segle XII, utilitzada per ungir el rei o la reina amb oli sagrat. No serveix per menjar els cereals de xocolata de l'hora d'esmorzar.
- I no ens oblidem de l'Ampolla, un flascó d'or en forma d'àliga en què es conserva l'oli sagrat. Com un termos, però de luxe.
- I finalment, els famosos orbes i ceptres.

Quin bé de Déu d'objectes!

Si les joies de la Corona apareguessin al catàleg d'uns grans magatzems, probablement es veurien així:

L'àvia va treure la bossa enrotllada del supermercat que duia guardada a la bossa de mà, preparada per ficar-hi les joies.

—Molt bé, ara només cal trencar el vidre —va xiuxiuejar.

En Ben la va mirar amb incredulitat.

—Àvia, no crec que totes aquestes joies càpiguen aquí dintre.

—Ho sento, noi —va contestar l'àvia—. Però ara s'han de pagar cinc penics per cada bossa de plàstic, o sigui que només en vaig comprar una. Ens haurem d'espavilar així.

El vidre feia uns quants centímetres de gruix.

I era antibales.

En Ben havia agafat uns quants compostos químics del laboratori, i els havia combinat perquè fessin...

BBABBUUUUUUUUMMMMMMMMMM!

...si hi calaves foc.

Van enganxar els compostos químics al vidre amb una mica de BluTack. Llavors l'àvia va enganxar una boleta de llana rosa al BluTack. (La llana seria una metxa perfecta.) Després va treure els llumins. Ja només els calia assegurar-se que estaven prou lluny del lloc de l'explosió. Si no, acabarien sortint volant.

—Molt bé, Ben —va xiuxiuejar l'àvia—. Allunyem-nos tant com puguem del vidre.

Es van amagar al darrere d'una paret i al mateix fer van anar descabdellant la madeixa de llana rosa.

—Vols encendre la metxa? —va preguntar l'àvia.

En Ben va assentir. Tenia ganes de fer-ho, però les mans li tremolaven de l'emoció i no sabia si se'n sortiria.

En Ben va obrir la capsa de mistos. Només n'hi havia dos.

Va anar per encendre el primer, però les mans li tremolaven tant que se li va partir per la meitat.

—Oh, quina llàstima —va mussitar l'àvia—. Torna-ho a provar.

En Ben va agafar el segon misto.

Va provar d'encendre'l però no va passar res. Li devia haver baixat una mica d'aigua de la màniga i, ara, tant el misto com la capsa estaven ben molls.

—Nooooo! —va cridar en Ben, desesperat—. El pare i la mare tenen raó. Sóc un inútil. Ni tan sols sé encendre un llumí!

L'àvia li va passar un braç per l'espatlla.

Abraçats d'aquella manera, els vestits de neoprè feien una mica de nyic-nyic.

—No ho diguis, això, Ben. Ets un jovenet impressionant. De debò. Des que passem més temps junts, sóc més feliç del que puc expressar.

—De debò? —va dir en Ben.

—De debò! —va contestar l'àvia—. I ets molt llest. Has planejat tot sol aquest extraordinari robatori i només tens onze anys.

—Gairebé dotze —va dir en Ben.

—Però m'has deixat parada, noiet. Quants nens de la teva edat podrien planejar una cosa tan audaç com aquesta? —va dir l'àvia, somrient.

—Però ara no podrem robar les joies de la Corona, per tant, tot plegat ha sigut una enorme pèrdua de temps.

—No hem acabat, encara —va dir l'àvia, mentre treia una llauna de caldo de col de la bossa—. Sempre podem provar amb la força bruta de tota la vida!

L'àvia va donar la llauna al seu nét. En Ben la va agafar amb un somriure a la cara i tot seguit es va acostar a la vitrina.

—Som-hi, doncs! —va dir en Ben, mentre tirava el braç de la llauna enrere per agafar impuls.

—No, sisplau! —va dir una veu entre les ombres.

En Ben i l'àvia van quedar petrificats de por.

«Era un fantasma?»

—Qui hi ha aquí? —va cridar en Ben.

Una figura va sortir a la llum.

Era la reina.

27

Una audiència amb la reina

—Què carai hi fa vostè, aquí? —va preguntar en Ben—. Eeeh... vull dir, què carai hi fa aquí, sa majestat?

—M'agrada venir aquí quan no puc dormir —va respondre la reina amb aquella seva veu característica tan refinada i instantàniament familiar. En Ben i l'àvia es van quedar sorpresos en veure que anava amb camisa de dormir i unes sabatilles apelfades, i amb la corona de la coronació, la més magnífica de totes les joies de la Corona. L'arquebisbe de Canterbury l'hi va col·locar al cap quan va ser coronada reina el 1953. La corona, que data del 1661, està feta d'or amb diamants, robins, perles, maragdes i safirs incrustats.

Tenia un aspecte impressionant, fins i tot per a la reina!

—Vinc aquí a pensar —va continuar la reina—. Li dic al xofer que em porti des del palau de Buckingham amb el Bentley. D'aquí poques setmanes he de fer el discurs de Nadal a la nació, i me l'he de rumiar. I la veritat, sempre és més fàcil pensar amb la corona posada. Però la pregunta és, què carai hi feu, aquí, vosaltres dos?

En Ben i l'àvia es van mirar, avergonyits.

Que us renyin no agrada, però que us renyi la reina és tot un altre nivell de reprensió, tal com demostra aquest simple gràfic:

—I per què feu pudor de caca? Eh? —va deixar anar sa majestat—. Estic esperant una resposta.

—Jo sóc l'única culpable, sa majestat —va dir l'àvia, fent una inclinació de cap.

—No, no ho és —va dir en Ben—. Vaig ser jo qui va dir que podíem robar les joies de la Corona. Jo la vaig convèncer.

—Sí, és veritat —va dir l'àvia—, però no volia dir això. Jo ho vaig començar tot, quan vaig fingir que era una lladre de joies internacional.

—Què? —va exclamar en Ben.

—Perdó? —va dir la reina—. No entenc res.

—El meu nét detestava passar els divendres a la nit a casa meva —va explicar l'àvia—. Una nit el vaig sentir que trucava als seus pares i es queixava que s'avorria...

—Però àvia, això ja no ho penso! —va protestar en Ben.

—D'acord, Ben, ja sé que les coses han canviat. Però la veritat és que era molt avorrida. M'agradava menjar col i jugar a l'Scrabble, i en el fons, sabia que tot això tu ho odiaves. De manera que em vaig inventar una història a partir dels llibres que llegeixo per entretenir-te una mica. Et vaig dir que era la buscada lladre de joies anomenada «El Gat Negre»...

—Però... I tots aquells diamants que em vas ensenyar? —va dir en Ben, que estava desconcertat i empipat per l'engany.

—No tenen valor, rei —va respondre l'àvia—. Són de vidre. Les vaig trobar en una terrina antiga de gelat en una botiga del barri.

En Ben la va mirar fixament. No s'ho podia creure. Tot plegat, tota aquella història increïble, era una invenció.

—No em puc creure que m'hagis mentit! —va dir.

—Jo... Només volia... —va dir l'àvia, vacil·lant.

En Ben li clavava la mirada.

—O sigui, que al capdavall, no ets una àvia malfactora —va dir.

Es va produir un silenci ensordidor a la Casa de les Joies. Seguit d'un estossec bastant fort i refinat.

—Ehem! —va fer, una veu imperiosa.

28

Penjat, arrossegat i esquarterat

—Em sap molt de greu interrompre —va dir la reina, en un to tallant—, però podem tornar al tema important que ens ocupa? Encara no entenc com és que sou a la Torre de Londres a mitja nit, fent pudor de caca i intentant robar-me les joies.

—Bé, un cop vaig haver començat, la mentida va anar fent bola, sa majestat —va continuar l'àvia, evitant la mirada d'en Ben—. No era pas la meva intenció. Suposo que, senzillament, em vaig deixar portar. Era tan agradable passar més temps amb el meu nét, divertir-me amb ell. Em recordava quan era petit i li explicava contes abans d'anar a dormir. L'època en què encara no em trobava avorrida.

En Ben es va remoure, inquiet. Ell també es començava a sentir culpable. L'àvia l'havia mentit, i això era horrible, però ho havia fet perquè l'amoïnava que en Ben la considerés tan avorrida.

—Jo també em divertia —va mussitar en Ben.

L'àvia li va fer un somriure.

—Me n'alegro, Benny. Em sap tant de greu, de debò que...

—Ehem —va interrompre la reina.

—Ah, sí —va dir l'àvia—. Doncs bé, sense adonar-me'n, la bola es va fer immensa i resulta que ja estàvem planejant fer el robatori més audaç de tots els temps. Per cert, hem grimpat per la canonada d'aigües residuals. Normalment no fem aquesta pudor, sa majestat.

—Això espero.

—QUUUIIIIIIIIIINNNAAAAAAAAA PUUUDOOOOOOORRR!

En Ben se sentia molt culpable ara. Encara que l'àvia no hagués sigut mai una lladre de joies internacional, per descomptat que no era gens avorrida. L'havia ajudat a planificar aquest robatori, i ara eren a la Torre de Londres, a mitja nit, parlant amb la reina!

«He de fer alguna cosa per ajudar-la», va pensar en Ben.

—El robatori va ser idea meva, sa majestat —va dir en Ben—. I em sap molt de greu.

—Sisplau, deixi marxar el meu nét —va interrompre l'àvia—. No vull que se li arruïni la vida, perquè és molt jove, encara. Sisplau, l'hi suplico. El pla era tornar les joies demà a la nit, l'hi prometo.

—Sí, ja m'ho penso —va mussitar la reina.

—De debò! —va exclamar en Ben.

—Sisplau, faci el que vulgui amb mi, sa majestat —va continuar l'àvia—. Tanqui'm a la Torre per sempre més, si vol, però l'hi suplico, deixi marxar el noi.

La reina semblava pensativa.

—La veritat és que no sé què fer —va dir la reina, finalment—. Estic commoguda per la seva història. Com ja sap, jo també sóc àvia, i a vegades els néts també em troben avorrida.

—De debò? —va dir en Ben—. Però si vostè és la reina!

—Ja ho sé —va dir la reina, somrient.

En Ben va quedar molt sorprès. Mai no l'havia vist somriure. Normalment estava molt seriosa, i mai no feia ni mig somriure quan feia el discurs de Nadal per la tele, o en l'obertura del Parlament, o amb els números còmics de la gala benèfica de Nadal.

—Però per a ells, només sóc l'àvia vella i avorrida —va continuar—. S'obliden que jo una vegada també vaig ser jove.

—I que un dia ells també seran grans —va afegir l'àvia, llançant una mirada significativa a en Ben.

—Exacte, estimada! —va dir la reina—. Crec que els joves haurien de dedicar una mica més de temps a la gent gran.

—Em sap greu, sa majestat —va dir en Ben—. Si no hagués sigut tan egoista i no m'hagués queixat tant que la gent gran és avorrida, res d'això no hauria passat.

Es va produir un silenci incòmode.

L'àvia va furgar dins de la bossa i va oferir una bossa de caramels a la reina.

—Vol un caramel de menta, sa majestat?

—Sí, sisplau —va dir la reina. En va desembolicar un i se'l va ficar a la boca—. Caram, feia anys que no en menjava cap, d'aquests.

—Són els meus preferits —va dir l'àvia.

—I duren molt, oi? —va dir la reina, degustant-lo, abans de recuperar el posat—. Sabeu què li va passar a l'últim home que va intentar robar les joies de la Corona? —va preguntar.

—El van penjar, el van arrossegar i el van esquarterar? —va preguntar en Ben, emocionat.

—Tant si us ho creieu com no, va ser perdonat —va dir la reina, amb un somriure irònic.

—Perdonat, sa majestat? —va preguntar l'àvia.

—El 1671, un irlandès conegut com a coronel Blood va mirar de robar-les, però els guàrdies el van enxampar quan intentava escapar-se. Es va amagar justament la corona que porto posada sota la capa i la va deixar caure per terra a fora de l'edifici. Al rei Carles II li va fer tanta gràcia l'audaç intent del coronel Blood que el va deixar lliure.

—L'hauré de buscar al Google —va dir en Ben.

—No sé què és això del Google —va dir l'àvia.

—Jo tampoc —va dir la reina, somrient—. Per tant, seguint la tradició reial, això és el que faré. Us perdono a tots dos.

—Oh, gràcies, sa majestat —va dir l'àvia, i li va besar la mà.

En Ben es va agenollar.

—Gràcies, gràcies, moltíssimes gràcies, sa majestat...

—Sí, bé, no cal que exagereu —va dir la reina, amb altivesa—. No puc suportar que la gent s'arrossegui. He conegut massa gent aduladora al llarg del meu regnat.

—Em sap tant de greu, sa majestat reial majestàtica —va dir l'àvia.

—Això és exactament el que vull dir! Fixa't, ara m'estàs adulant! —va contestar la reina.

En Ben i l'àvia es van mirar, atemorits.

Era difícil parlar amb sa majestat sense adular-la, encara que fos només una mica.

—I ara, marxeu rapidet, sisplau —va dir la reina—, abans que això s'ompli de guàrdies. I no us oblideu de veure'm a la tele el dia de Nadal...

29

Policia armada

Ja era de matinada quan van arribar de nou a Grey Close. Aquesta vegada no els va acompanyar cap cotxe de policia. El camí de Londres fins a casa era molt llarg amb l'escúter. Finalment, però, van passar per les bandes rugoses, bump, bump, bump, i van arribar brunzint a casa l'àvia.

—Quina nit! —va sospirar en Ben.

—Ja ho pots ben dir! Déu meu, em noto bastant entumida de tanta estona asseguda a l'escúter —va dir l'àvia, mentre baixava de la moto—. Em sap greu, Ben —va dir, després d'una pausa—. No tenia intenció de ferir-te els sentiments. Però era tan agradable estar més estona amb tu, que no volia que s'acabés.

En Ben va somriure.

—No passa res —va dir—. Ho entenc. I no t'amoïnis. Continues sent la meva àvia malfactora!

—Gràcies —va mussitar l'àvia—. De tota manera, crec que he tingut prou emoció per a tota una vida. Ara vull que te'n vagis a casa, siguis un bon noi i et concentris en la lampisteria...

—Ho faré, t'ho prometo. Prou robatoris —va dir en Ben, somrient.

De sobte l'àvia es va quedar petrificada.

Va mirar amunt.

En Ben va sentir el brunzit d'un helicòpter per sobre el seu cap.

—Àvia?

—Silenci! —L'àvia es va ajustar l'audiòfon i va escoltar atentament—. N'hi ha més d'un, d'helicòpter. Sembla tota una flota.

TIIRURII, TIIRURII, TIIRURII, TIIRURII, TIIRURII, TIIRURII!

El so de les sirenes dels cotxes de policia ressonava pertot arreu, i al cap d'uns instants van quedar envoltats de policia armada per totes bandes. L'àvia i en Ben no podien veure cap casa del voltant perquè estaven atrapats dins del mur de policies amb armilles antibales. L'estrèpit dels helicòpters era tan ensordidor que l'àvia va haver d'apagar l'audiòfon.

Des d'un dels helicòpters, en va sortir la veu d'un megàfon.

—Esteu envoltats. Deixeu anar les armes. Repeteixo, deixeu anar les armes o us dispararem.

—Però si no en tenim, d'armes! —va cridar en Ben. Encara no havia canviat la veu i li va sortir un gall.

—No t'hi discuteixis, Ben. Limita't a posar les mans enlaire! —va cridar l'àvia, enmig del soroll.

El parell de malfactors va alçar les mans. Uns quants policies especialment valents es van avançar apuntant en Ben i l'àvia amb les armes. Els van fer caure i els van immobilitzar a terra.

—No us mogueu! —va dir la veu de l'helicòpter. En Ben va pensar, com vol que em mogui si

tinc un policia corpulent i forçut agenollat sobre l'esquena?

Una ràfega de mans amb guants de cuir els va recórrer el cos amunt i avall i va furgar dins de la bossa de l'àvia, suposadament esperant trobar-hi armes. Si haguessin buscat mocadors de paper usats, haurien estat de sort, però d'arma, no en van trobar cap.

Després, els van posar manilles a tots dos i els van fer aixecar. Darrere del mur de policies va treure el cap un vell amb el nas molt gros i un barret aplanat.

Era el senyor Parker.

El veí tafaner de l'àvia.

30

Un paquet de sucre

—Us pensàveu que aconseguiríeu robar les joies de la Corona, oi? —va grunyir el senyor Parker—. Ho sé tot del vostre malvat pla. S'ha acabat. Agents, endueu-vos-els. Tanqueu-los i llenceu la clau!

Els policies van conduir els detinguts cap a dos cotxes de policia.

—Un moment! —va cridar en Ben—. Si hem robat les joies de la Corona, on són?

—És clar! La prova. És l'únic que necessitem per posar-vos tots dos per sempre més entre reixes. Busqueu a la cistella de l'escúter. Ara mateix! —va dir el senyor Parker.

Un dels policies la va examinar. Hi va trobar un paquet embolicat amb paper film llefiscós.

—Fixa't, això deuen ser les joies! —va dir el senyor Parker, molt segur de si mateix—. Porta'l cap aquí.

El senyor Parker va mirar l'àvia i en Ben amb satisfacció. Va començar a desembolicar el paquet.

Van passar uns quants minuts fins que el gran paquet es va convertir en un paquet petit. Fins que el senyor Parker va arribar al final del paper film.

—Ah, sí, aquí les tenim! —va anunciar, i una llauna de caldo de col va caure a terra.

—Em podria donar aquesta llauna, senyor Parker? —va dir l'àvia—. És el meu dinar.

—Busqueu a la casa! —va cridar el senyor Parker.

Uns quants policies van intentar obrir la porta donant-hi cops amb les espatlles. L'àvia se'ls va mirar, divertida, abans de dir:

—Si voleu tinc la clau, potser us anirà millor!

Un dels policies s'hi va acostar i una mica avergonyit li va agafar la clau.

—Gràcies, senyora —va dir, educadament.

L'àvia i en Ben es van intercanviar un somriure.

L'home va obrir la porta i un munt de policies van entrar a la càrrega. Van buscar frenèticament per tota la casa, però al cap d'una estona en van sortir amb les mans buides.

—Em sembla que aquí no hi ha les joies de la Corona, senyor —va dir un dels policies—. Només un Scrabble i unes quantes llaunes més de caldo de col.

El senyor Parker es va posar vermell de tan enfadat que estava. Havia convocat la meitat de la policia del país per a res.

—A veure, senyor Parker —li va dir un dels policies—, té molta sort que no el detinguem per fer perdre el temps a la policia...

—Un moment! —va dir el senyor Parker—. Només perquè no duguin les joies a sobre o no siguin dins la casa, no vol dir que no les hagin robat. Estic molt segur del que he sentit. Busqueu... al jardí! Sí! Excaveu!

El policia va alçar la mà per calmar l'ambient.

—Senyor Parker, no podem...

De sobte, una guspira de triomf va il·luminar els ulls del senyor Parker.

—Un moment. No els heu demanat on eren, aquesta nit. Sé que han anat a robar les joies de la Corona. I m'hi jugo el que sigui que no tenen cap coartada per a aquesta nit!

El policia es va girar cap a en Ben i l'àvia, amb el front arrugat.

—De fet, no és mala idea —va dir—. Els sabria greu dir-me on eren, aquesta nit?

Ara el senyor Parker somreia satisfet.

Just en aquell moment, se'ls va acostar un altre policia. Tenia alguna cosa familiar aquell home, i quan en Ben es va fixar en el bigoti, va saber el què.

—Senyor, acabem de rebre una trucada per a vostè... —va començar a dir l'agent Fudge, que anava amb un walkie-talkie a la mà. De sobte es va aturar i va mirar en Ben i l'àvia—. Vaja! —va dir—. Però si és la parella del paper film!

—Agent Pear! —va dir en Ben.

—Fudge! —va corregir-lo en Fudge.

—Ai, perdoni, Fudge. M'alegro de tornar-lo a veure.

El superior de la policia els va mirar, confós.

—I doncs?

—El nen i l'àvia són de la Societat d'Avaluació del Paper Film i aquesta nit anaven a la reunió anual a Londres. De fet, els hi he acompanyat jo mateix.

—O sigui, que no anaven a robar les joies de la Corona? —va preguntar el superior.

—No! —va respondre rient l'agent Fudge—. Havien de parlar de la fusió amb la Societat d'Avaluació del Paper de Bombolles. Robar les joies de la Corona! —Va fer un somriure a en Ben i a l'àvia—. Quins acudits!

El senyor Parker estava vermell com un tomàquet.

—Però... però... Ho han fet! Són uns bandits, els ho asseguro!

Mentre balbucejava, el superior de policia va agafar el walkie-talkie d'en Fudge.

—Sí. Mmm. D'acord. Gràcies —va dir. Es va girar cap a en Ben i l'àvia—. Era la Brigada Especial. Els he demanat que comprovessin si les joies de la Corona encara són al seu lloc. I resulta que sí. Em sap greu, senyora. I per a tu també, noiet. Us traurem aquestes manilles en un tres i no res.

El senyor Parker es va desplomar, completament abatut.

—No, no pot ser...

—Si sento algun comentari més, senyor Parker —va dir el policia—, el ficaré a la garjola tota la nit!

Es va girar i va anar cap a un dels cotxes patrulla, seguit de l'agent Fudge, que va saludar en Ben i l'àvia abans d'anar-se'n.

En Ben es va acostar al senyor Parker, amb les mans encara emmanillades a l'esquena.

—El que vostè va sentir només eren històries —va dir en Ben—. Tot just l'àvia explicant-me històries. Senyor Parker, em sembla que s'ha deixat portar massa per la imaginació.

—Però, però, però...! —va bramar el senyor Parker.

—Jo? Una lladre de joies internacional?! —va dir l'àvia, rient. Els policies també es van posar a riure—. S'ha de ser una mica ximple, per creure's això! —va dir—. Perdona, Ben —va xiuxiuejar-li al seu nét.

—No passa res! —va xiuxiuejar en Ben.

Els policies els van treure les manilles, van pujar corrent als cotxes i furgonetes i van marxar de Grey Close.

—Perdoni per les molèsties, senyora —va dir un dels policies abans de marxar—. Que passi un bon dia.

Els helicòpters van desaparèixer en el cel de l'albada. Quan les hèlices es van accelerar, l'estimat barret aplanat del senyor Parker va voleiar i va anar a parar a un bassal.

L'àvia es va acostar al senyor Parker, que estava dret sense barret al camí d'entrada de casa l'àvia.

—Si mai necessita un paquet de sucre perquè se li ha acabat... —va dir l'àvia, amablement.

—Sí... —va dir el senyor Parker.

—No truqui a la meva porta, perquè li ficaré el paquet de sucre en un lloc molt especial —va dir l'àvia, amb un somriure ben dolç.

31

Llum daurada

Va sortir el sol i Grey Close estava inundat de llum daurada. Hi havia rosada, i una boirina sobrenatural feia que la filera de casetes semblés màgica.

—Bé —va dir l'àvia, amb un sospir—. Ara val més que vagis cap a casa corrent, Ben, abans que els teus pares es despertin.

—Els meus pares no s'amoïnen gens per mi —va dir en Ben.

—I tant que sí —va dir l'àvia, mentre li passava el braç per l'espatlla—. El que passa és que no saben com demostrar-t'ho.

—Potser sí.

En Ben va fer el badall més gros que havia fet mai a la vida.

—Ostres, que cansat que estic. Aquesta nit ha sigut increïble!

—Ha estat la nit més emocionant de la meva vida, Ben. No me l'hauria perdut per res del món —va dir l'àvia, amb un somriure brillant. Va respirar fondo—. Ai, l'alegria de ser viu.

Llavors se li van omplir els ulls de llàgrimes.

—Què et passa, àvia? —va dir en Ben, amb veu suau.

L'àvia va amagar la cara.

—No res, minyó, de debò. —La veu li tremolava d'emoció.

De sobte, en Ben es va adonar que passava alguna cosa greu.

—Àvia, sisplau, ja saps que m'ho pots dir.

Li va agafar la mà. Tenia la pell fina, però gastada. Fràgil.

—Bé... —va dir l'àvia, vacil·lant—. T'he dit una altra mentida encara.

En Ben va tenir la sensació que s'enfonsava de cop.

—Quina? —va preguntar, mentre li estrenyia la mà per consolar-la.

—Mira, la setmana passada el metge em va donar el resultat de les proves, i et vaig dir que estava bé. Però era una mentida. No estic bé. —L'àvia va fer una pausa—. La veritat és que tinc càncer.

—No, no... —va dir en Ben, amb llàgrimes als ulls. Havia sentit a parlar del càncer, prou com per saber que podia ser mortal.

—Just abans que topessis el metge a l'hospital, ell m'acabava de dir que... bé, que el càncer està molt avançat.

—I quant de temps de vida et queda? —va balbucejar en Ben—. T'ho va dir?

—Em va dir que no arribaria a Nadal.

En Ben va abraçar l'àvia tan fort com va poder; volia que el seu cos compartís la força vital amb el d'ella.

Li baixaven les llàgrimes per les galtes. Era tan injust... Feia tan sols unes setmanes que havia arribat a conèixer bé l'àvia, i ara la perdria.

—Jo no vull que et moris.

L'àvia es va quedar mirant en Ben.

—Ningú no pot viure per sempre, rei. Però espero de tot cor que no m'oblidis mai. Que no oblidis la teva àvia avorrida!

—No ho ets gens, d'avorrida. Ets una autèntica malfactora! Gairebé robem les joies de la Corona!

L'àvia va riure.

—Sí, però no en diguis res a ningú, d'això. Encara et ficaries en problemes. Ha de ser el nostre petit secret, per sempre.

—I el de la reina! —va dir en Ben.

—I tant! Quina dona tan agradable...

—No t'oblidaré mai, àvia —va dir en Ben—. Sempre et duré al cor.

—Aquesta és la cosa més maca que m'han dit mai —va dir la velleta.

—T'estimo molt, àvia.

—Jo també, Ben. Però ara te n'has d'anar.

—No vull marxar.

—Això és molt amable per part teva, però si els teus pares es desperten i descobreixen que no hi ets, s'amoïnaran molt.

—No és veritat.

—I tant que sí. Ara, Ben, sisplau, sigues bon noi.

En Ben es va aixecar amb desgana. Va ajudar l'àvia a aixecar-se.

Després s'hi va acostar i li va fer un petó a la galta. No va ni pensar en els pèls de la barbeta. De fet, li encantaven.

També li encantava el xiulet de l'audiòfon. Li encantava l'olor que feia de col. I sobretot, li encantava que a l'àvia se li escapessin els pets sense adonar-se'n.

Li encantava tot, de l'àvia.

—Adéu —va dir amb un xiu-xiu.

—Adéu, Ben.

32

Un sandvitx familiar

Quan finalment va arribar a casa, en Ben va veure que el petit cotxe marró no era al camí d'entrada. Era molt d'hora, encara.

On devien haver anat, els pares, tan aviat?

Es va enfilar per la canonada i va entrar per la finestra de la seva habitació. Li va costar molt. Estava cansat de la nit que havia passat i el vestit de neoprè pesava un munt. En Ben va apartar una mica la pila d'exemplars d'*El Setmanari del Llauner* que tenia a sota el llit per amagar-hi el vestit de busseig. Després, tan silenciosament com va poder, es va posar el pijama i es va ficar al llit.

Just quan es disposava a tancar els ulls, va sentir que el cotxe enfilava el camí d'entrada, que s'obria la porta i que els seus pares ploraven desconsoladament.

—L'hem buscat pertot arreu —va dir el pare, sospirant—. No sé què més fer.

—Tot és culpa meva —va dir la mare, entre llàgrimes—. No l'hauríem d'haver inscrit mai a aquella competició de ball. Ara ha fugit de casa...

—Vaig a trucar a la policia.

—Sí, sí, truquem-hi. Ja ho hauríem d'haver fet fa hores.

—Farem que tot el país el busqui... Hola, hola, necessito parlar amb la policia, sisplau... Es tracta del meu fill. El meu fill ha desaparegut...

En Ben es va sentir terriblement culpable. Al capdavall, els seus pares es preocupaven per ell.

I molt.

Va baixar del llit, va obrir la porta de l'habitació, va córrer escales avall i se'ls va llançar als braços. El pare va deixar caure el telèfon de cop.

—Oh, el meu nen! El meu nen! —va dir el pare.

Va abraçar en Ben més fort que mai. La mare també el va abraçar. Semblaven un sandvitx familiar, amb en Ben de farciment.

—Oh, Ben, gràcies a Déu que has tornat! —va dir la mare—. On eres?

—Amb l'àvia —va respondre en Ben, sense dir tota la veritat—. Està... l'àvia està molt malalta —va dir, amb tristesa. Però es va adonar, per l'expressió dels seus pares, que per a ells no era una novetat allò.

—Sí... —va dir el pare, una mica incòmode—. Em temo que...

—Ja ho sé —va dir en Ben—. Però no em puc creure que no m'ho hàgiu dit. És la meva àvia!

—Ja ho sé —va dir el pare—. I també és la meva mare. Em sap greu no haver-t'ho dit, fill. No volia amoïnar-te...

De sobte, en Ben va veure el dolor reflectit als ulls del seu pare.

—No passa res, pare —va dir.

—La teva mare i jo t'hem estat buscant pertot arreu tota la nit —va afegir el pare, i va estrènyer el fill encara més fort—. Mai no se'ns hauria acudit buscar-te a casa l'àvia. Sempre deies que era avorrida.

—Ja, però no ho és gens. És la millor àvia del món.

El pare va somriure.

—M'agrada sentir això, Ben. Però ens hauries pogut dir que hi anaves.

—Em sap greu. Després d'haver-vos decebut tant a la competició de ball, he pensat que no voldríeu saber res de mi.

—Que no voldríem saber res de tu? —va exclamar el pare, amb cara de sorpresa—. Però fill, nosaltres t'estimem!

—T'estimem moltíssim, Ben! —va afegir la mare—. D'això, no en dubtis mai. A qui li importa una estúpida competició de ball organitzada pel ximple Flavio Flavioli? Jo estic molt orgullosa de tu, facis el que facis.

—Tots dos n'estem —va dir el pare.

Ara tots tres ploraven i somreien alhora, i era difícil dir si les llàgrimes eren de felicitat o de tristesa. Però no hi feia res. Probablement era una barreja de totes dues coses.

—Anem a casa l'àvia a prendre el te? —va dir la mare.

—Sí —va dir en Ben—. Estaria bé.

—El teu pare i jo hem estat parlant —va dir la mare, mentre agafava la mà a en Ben—. He trobat les revistes de lampisteria.

—Però... —va dir en Ben.

—No passa res —va continuar la mare—. No te n'has d'avergonyir. Si això és el que t'agrada, endavant!

—De debò? —va dir en Ben.

—Sí! —va exclamar el pare—. Només volem que siguis feliç.

—Però... —va continuar la mare—. El pare i jo creiem que si la lampisteria finalment no va bé, és important que tinguis alguna altra cosa a què recórrer...

—Recórrer? —va preguntar en Ben. Normalment ja li costava bastant entendre els pares, però ara encara més.

—Sí —va dir el pare—. Però ja sabem que això del ball no està fet per a tu...

—No —va dir en Ben, alleujat.

—Per tant, què et semblaria fer ball sobre gel?

En Ben se la va quedar mirant.

Durant uns instants la mare el va mirar fixament, però finalment va canviar l'expressió i es va posar a riure. I el pare també, i malgrat que encara tenia llàgrimes a la cara, en Ben no va poder evitar afegir-s'hi.

33

Silenci

Després d'això, les coses van millorar molt entre en Ben i els seus pares. Fins i tot el pare el va acompanyar a la ferreteria per comprar-li unes quantes eines, i es van passar tota una tarda superdivertida desmuntant un sifó.

Una setmana abans de Nadal, van rebre una trucada a mitja nit.

Al cap d'un parell d'hores, en Ben, la mare i el pare eren al costat del llit de l'àvia. Era en una casa de convalescència, que és on va la gent quan a l'hospital ja no els poden fer cap més tractament. No li quedava gaire temps de vida. Potser només hores. Les infermeres els van dir que es podia morir en qualsevol moment.

En Ben estava assegut al costat del llit de l'àvia, molt angoixat. Tot i que ella tenia els ulls tancats i no semblava capaç de poder parlar, el fet de seure al seu costat era una experiència molt intensa.

El pare no parava d'anar amunt i avall als peus del llit, sense saber què fer ni què dir.

La mare es va quedar mirant l'àvia. Se sentia molt impotent.

En Ben senzillament li agafava la mà.

No volia que marxés tota sola enmig de la foscor.

Escoltaven la respiració dificultosa. Era un so horrible. Però encara n'hi havia un de pitjor.

El silenci.

Això voldria dir que s'havia mort.

Llavors, de sobte, amb gran sorpresa de tots, l'àvia va parpellejar i va obrir els ulls. Va somriure quan els va veure tots tres.

—Tinc... molta gana —va dir, amb un fil de veu.

Va ficar la mà sota els llençols i en va treure una cosa embolicada amb paper film. Ho va començar a desembolicar.

—Què és això? —va preguntar en Ben.

—Un tros de pastís de col —va dir l'àvia—. Sincerament, aquí el menjar és horrible.

Al cap d'una estona, el pare i la mare van sortir per anar a buscar un cafè a la màquina expenedora. En Ben no es volia apartar de l'àvia ni un segon. Li va agafar la mà. La va notar resseca i molt lleugera.

A poc a poc, l'àvia es va girar per mirar-lo. Se li acabava el temps i en Ben n'era conscient. L'àvia li va picar l'ullet.

—Sempre seràs el meu petit Benny —va xiuxiuejar.

En Ben va pensar que abans odiava que li digués així. Ara li encantava.

—Ja ho sé —va dir, amb un somriure—. I tu sempre seràs la meva àvia malfactora.

Més tard, quan l'àvia ja se n'havia anat per sempre, en Ben seia en silenci al seient del darrere del cotxe dels pares, de camí cap a casa. Estaven tots tres cansats de tant plorar. Alhora, un munt de gent omplia els carrers per fer les compres de Nadal, hi havia ple de cotxes pertot arreu i s'havia fet una llarga cua per entrar al cine. En Ben no es podia creure que la vida continués el seu curs normal quan acabava de passar una cosa tan transcendental.

Van girar en una cantonada i es van acostar a la petita filera de botigues.

—Puc anar a veure el quiosquer, sisplau? —va dir en Ben—. No trigaré gens.

El pare va aparcar el cotxe i en Ben es va dirigir cap a la botiga d'en Raj. Començaven a caure petits flocs de neu.

DING!, va fer la campaneta de la porta.

—Ah, jove Ben! —va exclamar en Raj. El quiosquer es va adonar de la mirada trista d'en Ben—. Que passa alguna cosa?

—Sí, Raj... —va balbucejar en Ben—. L'àvia s'ha mort.

En certa manera, el fet de dir-ho li va fer venir ganes de plorar de nou.

En Raj va sortir de darrere del taulell i va abraçar en Ben.

—Oh, Ben, em sap molt de greu. Feia dies que no la veia i ja suposava que alguna cosa no anava bé.

—No t'amoïnis. Només volia dir-te, Raj —va dir en Ben, entre sanglots—, que t'agraeixo que em renyessis aquella vegada. Tenies raó. L'àvia no era gens avorrida. Era extraordinària.

—No tenia intenció de renyar-te, noiet. Només vaig pensar que segurament mai no havies dedicat prou temps a conèixer bé la teva àvia.

—I tenies raó. Hi havia un munt de coses d'ella que mai no m'hauria imaginat.

En Ben es va eixugar les llàgrimes amb la màniga.

En Raj va començar a buscar per la botiga.

—A veure... Tinc algun paquet de mocadors en algun lloc... On deuen ser? Ah, sí, a sota dels cromos de futbol. Té, nano.

El quiosquer va obrir el paquet i el va donar a en Ben. En Ben es va eixugar els ulls.

—Gràcies, Raj. Tens deu paquets de mocadors pel preu de nou? —va dir, amb un somriure.

—No, no, no! —va dir en Raj, també somrient.

—Quinze paquets pel preu de catorze?

En Raj va posar-li una mà a l'espatlla.

—No ho entens —va dir—. Això és un regal de la casa.

En Ben se'l va quedar mirant. En tota la història del món, no constava enlloc que en Raj hagués donat mai res de franc. Era una cosa inaudita. Era una bogeria. Era... si continuava així, faria plorar en Ben una altra vegada.

—Moltes gràcies, Raj —va dir, ofegant un sanglot—. Ara val més que me'n vagi. El pare i la mare m'esperen a fora.

—Sí, sí, però espera un moment —va dir en Raj—. Tinc un regal de Nadal per a tu, Ben. —Va començar a furgar de nou per la petita botiga abarrotada de coses—. A veure, on deu ser?

A en Ben se li van il·luminar els ulls. Li encantaven els regals.

—Ara, ara, aquí, darrere dels ous de Pasqua. Ja ho tinc! —va exclamar en Raj, alçant enlaire una bossa de caramels de menta dels que comprava l'àvia.

En Ben va quedar una mica decebut però es va esforçar a dissimular-ho.

—Oh! Gràcies, Raj! —va dir en Ben, i va fer el millor paper que va poder—. Una bossa de caramels de menta!

—No, només un caramel —va dir en Raj, mentre obria la bossa i en treia un caramel per donar-lo a en Ben—. Eren els preferits de la teva àvia.

—Sí, ja ho sé —va dir en Ben, amb un somriure.

34

El caminador

El funeral es va celebrar la vigília de Nadal. En Ben no havia anat mai a cap enterrament. Va pensar que era bastant estrany. El taüt estava situat al capdavant de l'església, els assistents cantaven amb veu trista uns himnes que no coneixia, i un capellà que no havia vist mai l'àvia va fer un discurs avorrit sobre ella.

No era pas culpa del capellà, però podia estar parlant de qualsevol altra velleta. Va dir, amb veu monòtona i avorrida, que li agradava visitar esglésies antigues i que sempre tractava amb afecte els animals.

En Ben tenia ganes de cridar. Tenia ganes d'explicar a tothom, al pare i a la mare, als tiets i a les tietes, a tots els assistents, com n'era d'increïble, l'àvia. Volia parlar-los de les històries extraordinàries que li havia explicat.

I sobretot, volia explicar-los la meravellosa aventura que havia viscut amb ella, que gairebé havien robat les joies de la Corona i que havien conegut la reina.

Però ningú no l'hauria cregut. Tenia onze anys. I tots pensarien que s'ho inventava.

Quan van arribar a casa, la majoria de persones que hi havia a l'església els va anar a veure. Van beure te i van menjar sandvitxos i entrepans de salsitxa. Es feia estrany tenir posades les decoracions de Nadal en un moment tan trist. Al principi, la gent parlava de l'àvia, però al cap de poc ja parlaven d'altres coses.

En Ben seia tot sol al sofà i escoltava els adults. L'àvia li havia deixat tots els seus llibres, i ara els tenia apilats a l'habitació. Tenia ganes d'anar-s'hi a refugiar, però encara no podia.

Al cap d'una estona, una senyora gran d'aspecte agradable va travessar lentament la sala amb el seu caminador i va seure al sofà al seu costat.

—Tu deus ser en Ben. No te'n recordes, de mi, oi? —va preguntar la velleta.

En Ben la va mirar uns instants. Tenia raó.

—L'última vegada que et vaig veure, era el teu primer aniversari —va dir.

«No m'estranya que no me'n recordi!», va pensar.

—Sóc la cosina de l'àvia, l'Edna —va dir—. Sempre jugàvem juntes, quan érem petites, quan teníem més o menys la teva edat. Fa uns quants anys vaig caure i no em podia valer per mi mateixa. Em van posar en una residència per a la gent gran. L'àvia era l'única persona que em venia a visitar.

—De debò? Ens pensàvem que mai no sortia —va dir en Ben.

—Bé, em venia a veure un cop al mes. No era fàcil per a ella. Havia d'agafar quatre autobusos diferents. Jo li estava increïblement agraïda.

—Era una dona molt especial.

—Sí, tens tota la raó. Era molt amable i atenta. Jo no tinc fills ni néts, saps? O sigui que la teva àvia i jo sèiem a la sala d'estar de la residència i jugàvem a l'Scrabble durant hores.

—A l'Scrabble? —va dir en Ben.

—Sí. Em va explicar que a tu també t'agrada molt jugar-hi —va dir l'Edna.

—Sí, m'encanta —va dir. I va somriure.

I amb gran sorpresa, es va adonar que no mentia. Pensant-hi bé, s'adonava que li encantava. I ara que l'àvia ja no hi era, cada moment que havia passat amb ella li semblava preciós. Més preciós fins i tot que les joies de la Corona.

—No es cansava mai de parlar de tu —va dir l'Edna—. Sempre em deia que tu eres la llum de la seva vida. Que esperava amb ànsia els divendres perquè era el dia que t'hi quedaves a dormir. Era el millor moment de la setmana, per a ella.

—També ho era per a mi—va dir en Ben.

—Doncs bé, si t'agrada jugar a l'Scrabble, pots venir un dia a la residència, si vols, i fem una partida —va dir l'Edna—. Ara que no hi ha l'àvia, necessito un nou rival.

—I tant, serà fantàstic —va dir en Ben.

Més tard, aquell vespre, quan els pares miraven l'edició especial de Nadal de *Senzillament estrelles del ball*, en Ben va sortir per la finestra de l'habitació i va baixar per la canonada. Molt sigil·losament, va agafar la bicicleta del garatge i va anar una última vegada fins a casa de l'àvia.

Nevava, i la neu cruixia sota les rodes de la bici.

En Ben mirava com queia lentament sobre l'asfalt, gairebé sense fixar-se per on anava. Se sabia el camí de memòria. Cada sotrac i cada bony del camí de tant refer-lo durant els últims mesos.

Va frenar la bici just al davant de la petita casa de l'àvia. Hi havia una fina capa de neu a la teulada. Tenia un munt de cartes a la bústia, els llums estaven apagats i hi havia un cartell que posava «En venda» penjat a fora amb uns quants caramells de gel.

Tot i així, en Ben esperava veure l'àvia a la finestra.

Mirant-lo amb un somriure alegre.

Però no hi era. Se n'havia anat per sempre.

Sempre la duria al seu cor.

En Ben es va eixugar una llàgrima, va respirar fondo i va tornar amb la bici cap a casa.

Sens dubte, quan fos avi, tindria una història extraordinària per explicar als néts.

Epíleg

—Nadal és una època especial de l'any —va dir la reina. Tenia el posat seriós habitual, asseguda majestàticament en una butaca antiga al palau de Buckingham. Oferia, com cada any, el discurs anual a la nació.

El pare, la mare i en Ben acabaven de celebrar el dinar de Nadal, i estaven asseguts al sofà amb una tassa de te, mirant la reina per la tele, tal com feien sempre.

—És una època de reunió i de celebració per a les famílies —va continuar sa majestat—. No obstant això, no ens podem oblidar de la gent gran. Fa unes quantes setmanes, vaig conèixer una senyora de la meva edat i el seu nét a la Torre de Londres.

En Ben es va remoure inquiet.

Va mirar els seus pares, però estaven concentrats en la tele.

—Això em va fer pensar que els joves han de mostrar una mica més d'amabilitat amb les persones grans. Joves, si m'esteu veient, potser podríeu cedir el seient de l'autobús a una persona gran. O ajudar-la a portar les bosses de la compra. O compartir una partida de l'Scrabble. O per què no li oferiu una bosseta de caramels de menta, de tant en tant? A les persones grans ens encanten els caramels de menta. I sobretot, joves del país, vull que recordeu això: que les persones grans no som avorrides. Mai se sap, potser algun dia us sorprendran.

Després, amb un somriure maliciós, la reina es va alçar una mica la faldilla davant de tot el país i va mostrar les calces de la bandera anglesa que duia posades.

El pare i la mare, sorpresos, van vessar tot el te per la catifa.

Però en Ben simplement va somriure.

«La reina és una autèntica malfactora», va pensar. «Com l'àvia.»

Agraïments

M'agradaria donar les gràcies a algunes de les persones que em van ajudar a fer aquest llibre.

Primer de tot, al magnífic Tony Ross per les seves il·lustracions màgiques. A l'Ann Janine-Murtagh, la brillant responsable de llibres infantils a HarperCollins. A en Nick Lake, el meu treballador editor i amic. Als fantàstics dissenyadors James Stevens i Elorine Grant, que van elaborar la portada i el text, respectivament. A la meticulosa correctora Lizzie Ryley. A la Samantha White, per la seva brillant tasca en la promoció dels meus llibres. A l'encantadora Tanya Brennand-Roper, que en fa les versions d'àudio. I per descomptat, al meu agent literari, en Paul Stevens, d'Independent, que sempre m'ha mostrat un gran suport.

Però, principalment, m'agradaria donar les gràcies als nens, per llegir els meus llibres. És un gran honor per a mi que vingueu a demanar-me dedicatòries, que m'escriviu cartes o m'envieu dibuixos. M'encanta explicar-vos històries. I espero poder-ne somiar unes quantes més. Continueu llegint, que és bo per a vosaltres!